DU MÊME AUTEUR

Suite des œuvres de Philippe Delerm en fin de volume

LE TROTTOIR AU SOLEIL

PHILIPPE DELERM

LE TROTTOIR AU SOLEIL

GALLIMARD

*Il a été tiré de l'édition originale de cet ouvrage
trente exemplaires sur vélin pur fil
des papeteries Malmenayde numérotés de 1 à 30.*

Je prends le plus souvent
Le trottoir au soleil.
J'y pense en traversant la rue
pour quitter l'ombre
rejoindre de l'autre côté mon ombre
qui maintenant me suit.

FRANÇOIS DE CORNIÈRE

Paris Saint-Lazare
deux kilomètres

Le train navigue vers Saint-Lazare. On ne peut pas dire qu'il y ait une attente, un désir. L'approche de Saint-Lazare marque pourtant l'idée d'un accomplissement, même si le programme qui vous attend n'a rien d'extraordinaire. Surtout, il semble qu'on se soit toujours approché de Saint-Lazare, un peu comme la flèche de Zénon, sans jamais atteindre le but. On franchit le pont d'Asnières. À droite, en contrebas, c'était autrefois la piscine, un rectangle bleu, une soif qu'on n'étancherait jamais. Au passage, bien trop vite, l'éclaboussure et la confusion — pas le temps de s'intéresser aux mouvements d'un seul nageur, juste l'idée du plaisir des autres, une effervescence insolente, un défi. Puis la piscine ferme, le rectangle se vide, on distingue bien le mouvement du fond, la descente progressive du sol carrelé, une sensation de grand silence — ce n'est pas la proximité du cimetière, mais ce rectangle creux, qui donne une idée de la mort. Beaucoup plus tard, l'espace est remplacé par une zone de jeux, piste vallonnée de planche à roulettes, une initiative un peu poussive pour essayer de dire qu'il peut y avoir autre chose, au-delà de l'avant et de l'après.

Asnières, Clichy-Levallois, Pont-Cardinet, des murs très hauts juste en dessous du jardin des Batignolles, et sur le sombre, en lettres rouges sur fond blanc, « Paris Saint-Lazare 2 km ». Un peu plus tôt, on n'avait pas manqué le premier signe « Paris Saint-Lazare 5 km ». Pour faire patienter les voyageurs ? Plutôt pour multiplier cette lenteur progressive du train qui ballotte au presque ralenti. On est allé longtemps vers Saint-Lazare en omnibus, puis en train régional. Quelles que soient les conditions du voyage, debout, plus ou moins confortablement assis, il y a cet alentissement, juste avant de toucher au port, et la décantation de cette opération mentale. On est du côté de Saint-Lazare. On pourrait être du côté de Montparnasse, ou de la gare du Nord. Les destins sont différents, bien sûr, on ne se croise pas.

Suspendue dans l'espace et le temps flotte pourtant cette proximité latente. Chaque homme reste une île, en apparence. Mais des immeubles, des pans de rues, des publicités délavées, des néons rougeoyants se sont imprimés dans les corps, dans les têtes. Cela s'est fait avec une indifférence affectée, le regard morne, que l'on soit amoureux en attente d'un rendez-vous salle des pas perdus, secrétaire de direction, employé de banque. L'accostage à Paris est une fausse délivrance, même si la marche vive veut donner le change sur le quai. On a beaucoup simulé dans la neutralité. Car il y a une satisfaction profonde et cachée, presque un sommeilleux bonheur à faire partie du voyage, à croiser infiniment vers Paris capitale, à n'atteindre jamais le but. À être dans la vie.

21 mars : le printemps, l'équinoxe. On guette chaque signe de l'allongement des jours. L'année se met à dévaler, tout s'accélère. On file vers l'été. Après le 21 juin, déjà, les jours commencent à raccourcir. On s'en amuse, parce que bien sûr les meilleurs mois d'été sont encore à venir, les déambulations dans les rues chaudes, les repas aux terrasses, aux bougies dans les jardins.

— Quand même, lance toujours quelqu'un, soulevant autour de lui une réprobation agacée, quand même, les soirées sont déjà moins longues...

À soixante ans on a franchi depuis longtemps le solstice d'été. Il y aura encore de jolis soirs, des amis, des enfances, des choses à espérer. Mais c'est ainsi : on est sûr d'avoir franchi le solstice. C'est peut-être un bon

14

moment pour essayer de garder le meilleur : une goutte de nostalgie s'infiltre au cœur de chaque sensation pour la rendre plus durable et menacée. Alors rester léger dans les instants, avec les mots. Le solstice d'été est peut-être déjà l'été indien, et le doute envahit les saisons, les couleurs. Le temps n'est pas à jouer ; il n'y a pas de temps à perdre.

Avec les mots rester solaire. Je sais ce qu'on peut dire à ce sujet : l'essentiel est dans l'ombre, le mystère, le cheminement nocturne. Et puis comment être solaire quand l'humanité souffre partout, quand la douleur physique et morale, la violence, la guerre recouvrent tout ? Eh bien peut-être rester solaire à cause de tout cela. Constater, dénoncer sont des tâches essentielles. Mais dire qu'autre chose est possible, ici. Plus les jours passent et plus j'ai envie de guetter la lumière, à plus forte raison si elle s'amenuise. Rester du côté du soleil.

Je peux vous faire à dîner

Tout à fait au sud du Puy-de-Dôme, un tout petit village. Dore-l'Église. Le portail roman, très bas, très arrondi, est connu, mais aucun risque d'être troublé par des touristes, même en plein cœur du mois d'août. On arrive là en fin d'après-midi, on fait une grande balade autour des champs qui encerclent le hameau. Le soleil commence à fléchir quand on revient vers la voiture. Il y a une petite terrasse de café. On ne résiste pas au plaisir de s'y installer. Aucun autre consommateur. Comme personne ne vient prendre la commande on se lève et, juste à ce moment, une femme d'un certain âge ouvre la porte et s'approche. Pas de pression, bien sûr, mais un quart Perrier et une bière en bouteille. Un commentaire sur la chaleur, sans plus, par politesse réciproque, et pour gagner le droit de s'installer un bon moment. Rien de bien nouveau ni d'étonnant, mais assez vite une volupté particulière à se lover dans le silence. C'est la lumière qui s'instille, coulée de miel engourdissante. Sur les champs alentour, en nuances peu à peu fondues, comme si chacun d'eux opposait un désir de singularité qui bientôt s'ensommeille. Sur l'église surtout, d'or l'église, un or mat qui si tranquillement va pénétrer la pierre avec le soir qui vient. Le portail tout en douceur naïve se détache. L'unité de la lumière en souligne la ronde perfection. Il semble flotter, suspendu, et prendre curieusement du relief en proportion inverse de son manque d'ostentation.

La lumière est en vous aussi. Chaque seconde qui passe vous rive davantage à ce miracle. Un soir d'été. Comment partir ? Aucune affichette, aucun menu sur les vitres du café. Quand la patronne vient ramasser les verres, vous osez pourtant tenter comme une chance infime cette question que vous posez avec un ton à l'avance dénégatif, comme pour conjurer la probable réponse : « Vous ne faites pas restaurant ? » La femme ne répond pas tout de suite, et le fléau de la

balance oscille entre contrainte et possibilité. Et puis : « Je peux vous faire à dîner. »
Elle n'a pas vraiment répondu. Elle ne fait pas restaurant, elle peut vous faire à dîner, d'un merveilleux menu où tout sera bon, car il n'y aura rien à choisir. Vous dînerez à petits coups d'étonnements sereins — excellent ce saucisson... tu as vu la taille du morceau de cantal ? Vous n'aurez pas quitté la table ronde un peu rouillée. Le portail va flamber, prendre un ton de corail à l'heure du café. Dore-l'Église. On peut vous faire à dîner.

On n'est pas invité !

On en croise les samedis de printemps. Quand il fait beau, on dit : « Ils ont de la chance. » Mais c'est une bien plus grande chance de ne pas faire partie du mariage. Rien de pire que le bonheur obligatoire. Tout le monde est là gourmé, empesé, en petits groupes souriants et gênés sur l'esplanade de la mairie ou le parvis de l'église. La conversation ne prend pas, car *on attend les mariés,* dans une focalisation si appuyée que leur apparition muselle un peu les commentaires enthousiastes. Après la cérémonie, il y a le soulagement de prendre les voitures. Au moins du mouvement, un bol d'air. Les hommes se précipitent dans un élan qui donne un semblant de souplesse au port amidonné de leur costume. « On vous emmène, Christiane ? » Les femmes posent une main sur leur chapeau. Dans l'habitacle refermé, on va enfin se lâcher à grands coups de klaxon. C'est loin? Non, quelques kilomètres, il y a un jardin au bord de l'eau. Ils y sont venus jeudi prendre les photos.

Après, il y a les petites tables rondes, et, quand on a trouvé son carton, l'inquiétude d'avoir à estimer l'intensité de la contrainte à la lecture des cartons voisins. Ça, c'est quand on est ami seulement, ou dans la famille éloignée. Il va falloir alors lancer à tout moment des c'est joli, des c'est très bon, et des ils sont très beaux, en lançant les prolégomènes d'une conversation artificielle, si éprouvante quand on se dit qu'on ne reverra sans doute jamais ces gens-là, et qu'il faut pétiller d'assentiment juste pour une fois.

Mais c'est bien pire encore quand on est au cœur de la cible. Les mariés ne savent jamais si tout le monde est satisfait, qu'est-ce qu'elle veut ta mère, elle pense qu'il faut qu'on se lève pour aller faire le tour des tables. Avant, après, il y a d'âpres luttes entre les familles à propos du sancerre et du croustillant de foie gras. Le montage vidéo souvenir de l'école de commerce réjouit grandement le côté d'Hélène, mais le côté de

Christophe est plus pincé, on ne le voit presque pas. Après la pièce montée, la sono suscite des commentaires aigres-doux, mais c'est pratique quand on n'a plus rien à se dire, dans le genre 4 × 4 et marathon j'm'éclate, ils sont gratinés ces deux-là.

Ça se passe toujours comme ça. Il fait beau. C'est merveilleux, on n'est pas invité.

Les persistants lilas

Dans une gare de campagne, un simple arrêt, souvent. Depuis longtemps, le bâtiment a cessé d'avoir un employé au guichet, et même un composteur. Il y a certes un abri de verre et d'acier que les lycéens du petit matin dédaignent, parce qu'il a été conçu pour eux, comme si l'on savait comment disposer de leurs attitudes à ce moment précieux où ils jouent leur style, derrière le masque de l'ensommeillement bougon. Avant, il y avait peut-être des bacs à fleurs sur l'appui des fenêtres. Maintenant, l'ensemble a un petit côté délabrement organisé, tags, portes condamnées, peinture qui s'effrite.

Mais tout au bout du quai, des buissons de lilas poussent, sans excès, comme si une main jardinière venait encore les coloniser.

Chaque printemps ils refleurissent, mauves comme il se doit, couleur vieille dame permanentée, dans un espace vague que l'on a tout le temps de déguster, quand le train s'ébranle lentement, quand il s'arrête. Là, tout au bout du quai, ce n'est ni la campagne ni la ville. Un territoire SNCF, assez surréaliste. Parfois, quelqu'un s'égare jusque-là à pas distraits, en attente d'un amour, d'un parent, d'un ami. La voix suave enregistrée a dit dans la pluie tiède : « Le train 8234 en provenance de... Paris et à destination de... Serquigny passera avec un retard de... dix minutes environ. »

Qu'est-ce que ça change, le lilas au bout des quais ? On a beau savoir qu'il pousse désormais en toute liberté, l'idée demeure d'une civilisation surannée, début vingtième. Les lignes ferroviaires sont un parc à l'ancienne, à peine abandonné. Dans un monde où les tickets de train s'achètent en prem's, dans un monde où les contrôleurs ne contrôlent jamais entre Paris et Mantes-la-Jolie, il reste au bout des quais où l'on ne va presque pas de persistants lilas, comme si le petit Marcel Proust allait débarquer à la gare d'Illiers pour le week-end pascal, et chez la tante Amiot ça sent déjà l'ail cuit et le gigot.

La figue mûre

La figue, c'est la fin d'été. Au hasard des jardins on les a vues sous les feuilles plates, largement découpées, devenir de petites montgolfières sans nacelle qui rêveraient du sol et non du ciel. On les a touchées au passage quelquefois, pour sentir ce moment où l'élasticité fait place à un commencement de douceur duveteuse, de mollesse dans la consistance. Le vert a pâli, comme irradié d'une lumière intérieure jaunissant les nervures apparentes désormais. Puis est venu cet impalpable cheminement vers le mauve, en quelques jours. Alors on sait qu'il faut cueillir. Cueillir? Il semble plutôt que l'on détache d'une infime torsion de la main le fruit qui s'offre avec une soumission consentante, ce fruit qui se faisait attendre ou peut-être oublier.

Une incision de l'ongle meurtrirait la peau carminée, veloutée. Il faut un petit couteau tranchant comme un scalpel. La figue mûre a si longuement décanté une suavité latente qu'elle se tient à peine. Elle réclame un découpage en quartiers d'une netteté chirurgicale. On ne saurait se précipiter pour l'engloutir. On s'abîme quelques secondes dans la contemplation de cette chair à l'avance meurtrie dont les grains minuscules irriguent une texture cuite où tous les bruns, tous les rouges sont déjà de la confiture, précieusement sertie sur un fond blanc et buvardeux. Alors on amorce le sacrifice, on arrache la peau. Il faut tenir la lame dans la main, opérer au plus vif, au plus net. Pendant tous les préparatifs, on a éprouvé la fragilité légèrement humide, respiré un parfum de suc oriental. Est-ce bon à manger? On ne saurait le dire, concentré sur la sensation de mouillure et d'abandon. La figue impose la sexualité du reproche. En l'avalant on va trop vite, et malgré le respect de tous les rites on aura tort : l'extase était dans les préliminaires.

La figue séchée

Parallélépipède allongé recouvert de cellophane, ce bloc compact aux tons bruns est plutôt dissuasif. Son attrait réside dans l'excès de sa sévérité. Il y a là déjà comme une étincelle possible d'intérêt. Ça ne peut pas être aussi mauvais que c'est moche. On déchire le papier à une extrémité, et l'essence du produit change de nature. On distingue des couches imbriquées, des zones plus claires, un bout rogné de pédoncule. L'idée de compression est paradoxalement comme un début de respiration. Encouragé par une première frontière nettement dessinée à quelques millimètres de la surface, on va tenter de décoller du bout de l'ongle. Et ça vient, sans trop d'effort. Est-ce bien un fruit entier, ce petit magma entre le sec et le poisseux, qu'on interroge du regard et bientôt de l'incisive? Le marron domine tellement qu'on s'attend à goûter un bout de cuir, quelque chose d'africain à coup sûr, et même de saharien. Quelque chose qui viendrait du cœur mouillé de l'oasis, mais en aurait perdu tout l'abandon dans une dessiccation aventurière, où entreraient en jeu des selles et des chameaux.

Pourtant, les premiers coups de dents amènent à reconsidérer l'ensemble du sujet. Il y a des grains et du presque moelleux sous l'écorce revêche, blanchâtre par endroits. On ne saurait manger ce palet d'un seul coup. On le reprend entre les doigts, on le regarde, et l'on voit des rondeurs inespérées renaître sous la platitude.

Une figue? après tout, pourquoi pas, même si les couleurs fauves, l'excessive préservation du conditionnement semblent à l'extrême opposé d'une déclinaison mauve, flétrie en quelques jours. Fruit mûr, fruit sec. Que reste-t-il des choses à celui qui veut les garder? Dans le temps préservé, retrouve-t-on la chair sous le fané? Quel sucre sous la peau? Qu'est-ce qu'une figue?

Un livre à la couverture blanche, trouvé un jour dans une brocante. Titre : *Les Portes du silence*. Sous-titre : « Directoire spirituel ». Auteur : un moine. Éditions Ad Solem, Claude Martingay, libraire à Genève. Deux moines ont donné le nihil obstat, un prêtre et un abbé l'imprimatur. La page liminaire est destinée « À vous, âme bienheureuse que le Seigneur attire au désert pour vous parler au cœur. Voulez-vous brûler devant sa Face adorable comme une cire très pure ? Voulez-vous, comme les Chérubins, comme les Séraphins, être irradié de sa clarté, n'être pour lui à votre tour que Lumière et Charité ? Consentez à oublier le monde, l'univers, et vous-même ».

De page en page, des titres de chapitres égrènent tous les renoncements nécessaires :

« Faites taire le bruit des souvenirs. Fermez la porte aux soucis. Évitez les discussions intérieures. » La page de conclusion promet : « La paix descendra en votre âme ; le silence l'enveloppera. C'est si beau, un cœur pur et solitaire, sous le regard de Dieu ! Il n'a qu'un chant : celui de l'éternité. »

J'en suis sûr à présent. Je suis le contraire d'une âme bienheureuse que le Seigneur attire au désert. Je vois bien l'extraordinaire sérénité que l'on peut gagner en suivant le chemin des *Portes du silence*. Ne plus se soucier des autres ni de soi. Aux pires nuits d'insomnie, bien des préceptes de ce livre me semblent désirables. Mais je préfère tout au chant unique de l'éternité. Mes angoisses. Mes affections. Mes souvenirs. Mes troubles. Toutes mes contradictions, qui ne me font certes pas brûler comme une cire très pure, mais cette consumation extatique ne me tente guère. Je préfère brûler en vacillant au moindre souffle. Oublier, me souvenir, connaître le plaisir et la tristesse, et le remords. Sentir que le bonheur est à la fois possible et impossible. Vivre cette éblouissante absence de certitude. Refuser toute sagesse trop longue. Être un homme et pas un séraphin. Jouer le bonheur contre la joie.

Cette mouillure-là

Cette mouillure-là a quelque chose de la figue, évidemment. Cette moiteur qui se révèle et progresse. Comme elle est bonne, cette production palpable du désir. Là. Au plus secret, au plus caché. Le meilleur est peut-être d'en ignorer toujours la véritable origine. Comment est-ce que cela commence ? Les gestes, les caresses ont-ils pouvoir d'accentuer, de faire naître, ou bien cela demeure-t-il une affaire entre Elle et Elle, la volonté mentale de s'ouvrir ?

C'est au-delà des mots. Poétiser le sexe offert demeure dérisoire, c'est au-delà des métaphores. À quoi bon faire image ? La fleur de digitale ou la grotte marine, la source révélée par l'ombre de la mousse, un peu, mais de si loin. La chair gluante de la pêche sous la peau si fine, oui. Mais la figue seule a ce rapport parfait entre l'humide et son secret.

Car c'est le silence qui compte, l'incertitude préservée au bout de la confiance et de l'envie. Mouiller, c'est agir et s'abandonner. C'est actif et passif, un verbe singulier pour une action unique, dans un temps différent. Pour ce seul mystère, ce seul cadeau femelle, on renonce à la paix de devenir séraphin. On veut le trouble infiniment, dans son aveu de figue mûre. On veut cette mouillure-là.

Du soleil et de l'eau sur un lavoir

Sur les murs, sous les toits des lavoirs, quand il fait beau. La rivière coule, le soleil joue sur l'eau. Mais sur la pierre ou la charpente des lavoirs, on a beau savoir que c'est seulement la multiplication du soleil par l'eau fuyante, le spectacle semble venir d'ailleurs. La vibration de la lumière est si éblouissante, si rapide. Comme des vagues accélérées, comme des flashs aussi. Cela devrait être paisible, avec l'idée d'une façon de vivre disparue : les laveuses accroupies, les baquets, les nuages de lessive à la surface, le linge lourd dans les brouettes, le travail dur et des rires partout ricochant à la surface, les allusions, les secrets échangés, le souffle court. Et puis sur tout cela, depuis si longtemps, le silence. La fonction du lavoir presque oubliée ; il faut expliquer aux enfants.

Mais sur le mur ou sur le toit, comme sur un écran, ce film impossible à décrypter. Cette vibration sur le bois, la pierre. Une ondulation moderne. Presque inconcevable d'imaginer que c'était la même il y a cent ans, deux cents. C'est comme un condensé de tout ce que le cinéma, la peinture ont pu synthétiser dans leurs tentatives les plus abstraites, les plus récentes. Une fantaisie cinétique esthétisante, et quelque chose en plus. Le soleil et l'eau vivante seuls ne sauraient avoir ce talent. Il leur faut un cadre qui les transcende, cristallise sur une surface le projet d'un chatoiement. Le lavoir est ce cadre. Peut-être parce que c'est une construction uniquement fonctionnelle, sans aucune autre volonté que de permettre de laver le linge à l'abri. Au temps des laveuses, il y avait dans cette sensualité blonde tremblante une récompense presque ironique, comme un allègement gracile au travail éreintant. Mais aujourd'hui qu'on n'y travaille plus, qu'on ne s'agenouille plus contre la pierre, l'énigmatique perfection de cet insaisissable mouvement semble comme un reproche. On va chercher si loin, en traversant les océans, des occasions d'étonnement, des chances de miracle, des paysages, des tableaux dans les musées. Et c'était là, dans un lieu aboli, comme une permanente évanescence, un impalpable infiniment saisi. Du soleil et de l'eau sur un lavoir.

Il y a les regardants, les regardés. Et puis il y a les actifs. Ceux-là, on ne les envie pas. Ils passent dans la rue, mais ils sont ailleurs. Souvent, à grands gestes véhéments, tout en parlant dans leur téléphone portable, en train de régler des problèmes de projets, de rendez-vous. Est-ce que le décor traversé s'imprime tant soit peu dans leur élan? En tout cas, les tilleuls du boulevard Raspail doivent s'y confondre avec le stress de la réunion différée. Pour les manuels, c'est différent. C'est dur, bien sûr, pour le gars qui décharge les barils de bière, à l'angle du café. Mais on ne peut se défendre de l'idée que son rapport avec le patron du bar est vivant, à défaut de devenir chaleureux. Il y a cette phrase qu'il jette à la serveuse, à la volée, tiens, c'est toujours toi la plus belle.

Ça ne tire pas à conséquence. Il n'a même pas enlevé ses gants, déjà il remonte dans son camion. Les actifs ne sont pas sérieusement familiers. Ils ont des droits collatéraux, le devoir les mène.

Il y a les regardés. Dérisoires souvent, mais héroïques. Ils ont choisi la perfection. Pas de rémission. Ça peut être une fille très sophistiquée, incroyablement mince, escarpins-mules à hauts talons, jean serré, tee-shirt noir, motif argenté. Coiffure invraisemblable, un grand nœud rouge comme un éventail dans ses cheveux gaufrés. Son regard extatique est noyé dans le vide, droit devant. Tout dans sa silhouette, son maintien, son apprêt, tout est fait pour qu'on la contemple, la suive un peu des yeux. Mais elle ne peut s'en assurer sans déchoir. Le moindre coup d'œil oblique vers ceux qui sont censés la remarquer, l'admirer, serait un aveu de défaite. Étrange code. Elle veut qu'on la voie. Mais elle n'a pas le droit de voir qu'on la voit. Une tension un peu absurde règne sur le trottoir dans cette mise en scène. En dépit des apparences, le projet du jogger qui la croise n'est pas très différent. Il court en pleine ville, très vite, sans aucun essoufflement manifeste. Si la sensation purement sportive était son seul but, il n'éprouverait pas le besoin d'exercer son art au milieu des passants — il y a tant de bois, de parcs ouverts à l'effort anonyme. Mais lui aussi vit son talent dans les yeux des autres, qu'il frôle pour mieux les esquiver, concentré, impérial, si vélocement délié.

Est-ce qu'on envie ceux qu'on admire? Un peu, bien sûr — cela serait si triste pour eux s'ils ne nous faisaient tourner la tête. Mais le statut délicieux n'est pas celui d'actif ni de regardé. Pour connaître le vrai plaisir de la rue, mieux vaut faire partie des regardants. À l'ombre, ou au soleil. Couleur muraille. Disparaître. Il y a plein d'endroits pour ça, des bancs, des marches. La terrasse des cafés reste un endroit privilégié. Un peu d'âge aide bien. On ne fait plus partie du jeu sexuel, on ne suscite pas encore la pitié, on n'embête plus l'espace avec la virtualité du désir. Alors on peut se fondre, et on devient.

Devenir ce couple qui se tient par la main. Il n'est pas très beau, mais nettement plus jeune qu'elle. Près de dix ans peut-être. Elle a un visage attachant, un peu marqué. Elle s'est maquillée avec soin. Lui, veste sur l'épaule, parle tout seul, évoque sans doute une promotion professionnelle. Elle le regarde, mais on sent qu'elle ne l'écoute pas vraiment. Elle sourit à la situation, marche avec lui en le regardant parler. Il y a du bonheur dans son expression, de la douceur fatiguée aussi, comme si elle n'était pas tout à fait sûre, comme si c'était important de saluer l'instant, après tout, peut-être que la vie me doit bien ça. On pourrait lire sur ses lèvres : profitons de l'instant présent, mais tout dans sa démarche dit l'inverse, les blessures anciennes. Elle se souvient de ce poème qu'elle avait appris au lycée, comme la vie est lente et comme l'espérance est violente.

Devenir ce vieux monsieur qui ferme les yeux sous le soleil. Quelque chose en lui recherche la souplesse voluptueuse liée à l'idée de beau temps. Son pas voudrait exprimer ce bien-être mais, en dépit de ses chaussures de sport aux larges semelles, les jambes et le dos restent très raides, réticents. Pas si facile de saluer le présent, de gommer l'amont.

Autour d'un banc, des lycéennes semblent plus en accord avec cette fête de la lumière. Un voyage scolaire à Paris. Trois sont assises. Leur jeune professeur est resté debout, bras croisés, chemisette à manches courtes. Il est question de choses sérieuses, sujets de bac envisagés peut-être. Mais ce n'est qu'un prétexte. Une autre est appuyée contre un arbre. Tout en alimentant la conversation, elle a glissé les pouces dans les passants de son jean, et laisse insensiblement apparaître la rondeur commençante de ses hanches. Les autres sont moins spectaculaires, mais jettent à intervalles réguliers un coup d'œil sur leur poitrine gonflant les caracos blanc, rose, turquoise. Le prof ne regarde pas, mais il sait qu'à travers la respectable complicité d'après pique-nique ce sont ces révélations esquissées qui font la trame de l'instant.

À quelques mètres, comme des coques abandonnées contre le mur, des couvertures arrondies sur des matelas de fortune. On ne voit pas les SDF. Ils ne sont sûrement pas loin, mais c'est terrible de penser qu'ils peuvent abandonner sans crainte un mini-campement que personne ne leur disputera. Il a dû faire froid cette nuit. Ils n'ont pas d'examen à passer. Chaque jour est une épreuve.

Tous ces destins séparés, contigus, toutes ces histoires qui se frôlent et ne se croisent pas. C'est drôle. Dans la rumeur du trafic, cela pourrait sembler une cacophonie, mais c'est tout le contraire. En retrait, quand on devient juste un regard posé sur tous ces jeux légers, cruels, tragiques, et plus souvent à peine mélancoliques, on sent monter une harmonie. Les pièces du puzzle s'encastrent. Est-ce seulement le soleil à contre-jour filtrant sous les branches ? Il y a de la tristesse, de l'espoir et du talent, dans la poussière qui danse en suspension. Pas de place à payer pour le spectacle. On se sent bien, dans la grammaire de la rue. Le verbe fait l'action. Mais il y a les verbes d'état aussi. Ils n'ont pas de complément d'objet, pas de but. Être, paraître, devenir. On se sent là. Lézard de la rue.

Dans un grain de sable,
toute la plage

C'est juste un chemin au-dessus de la plage. La municipalité a ménagé un remblai sur le bord, pas plus de cinquante centimètres de hauteur. Peu à peu, le sable est venu s'amonceler, côté mer, le plus venté. On regardait à l'horizon, entre les îles familières, la tache rouge d'un chalutier, sa progression paisible avec son put put put sur la surface d'huile. On a toujours tendance à regarder le plus loin possible à l'horizon. Et puis on a baissé la tête, et, distraitement d'abord, on a posé les yeux sur la minuscule colline de sable du remblai. Dans la lumière à contre-jour du petit matin, on a distingué là des zones d'ombre et des parties ensoleillées, d'une matité grège. Une succession de plis et de replis, si légèrement ourlés : pas une arête, tout en courbes. La frontière de la lumière dessine des pistes étouffées, menant vers des sommets déclinés à l'infini, dans une répétition fascinante. En bas des moutonnements plus amples, des vallées où la texture du sable promet des enfoncements possibles, avec des reflets micacés. Là le soleil s'est imposé déjà, l'idée d'une chaleur laiteuse, sans recours.

C'est tout à fait comme sur ces photos panoramiques des déserts vus d'avion ou de ballon, dans ces albums où le projet est de nous faire découvrir le monde de très haut. En en tournant les pages, on se dit qu'il y a d'étonnants macrocosmes ainsi révélés, une harmonie secrète à déceler sur la terre en prenant de la hauteur, en s'élevant au-dessus des tourments de l'existence pour voir se dessiner une beauté de la distance. Mais ce matin sur le chemin côtier, on découvre tout autant simplement parce que l'on s'est lassé du trop prévisible trajet d'un chalutier rouge entre le cap d'Erquy et le port du Dahouët. Oui, tout un sahara au ras du sol. Autant d'immensité dans le monde à ses pieds.

Se plaire dans Turin

On ne vous en avait rien dit de bien foli-
chon. Juste une petite retombée condescendante dans l'inflexion de la phrase : « Ah ! tu
vas à Turin ! » Beaucoup de non-dits dans
cette restriction. Turin, ce n'est pas vraiment
l'Italie. Dans un pays qui possède tant et
tant de villes séduisantes, le mot est presque
un repoussoir. L'idée d'une industrialisation
encombrante, et même la proximité réduc-
trice de la frontière. En contrepoint se
fomentent déjà l'idée d'être surpris en bien,
le salubre espoir de renverser les archétypes.
Surprise. Pas besoin de se forcer. Les
places de Turin sont amples, beaucoup plus
belles qu'on n'aurait pu l'imaginer. Certes
on ne se sent guère dépaysé par l'opulence
des palais, mais un air étonnant de liberté
flotte en ce début d'octobre ensoleillé. On

se risque en terrasse, en sachant bien que la fraîcheur va venir vite avec l'obscurité. En quittant la Piazza Castello on découvre le charme désuet de la Galleria Subalpina, vieux passage couvert à la verrière presque nordique, ou slave.

Le matin, la ville bruit très tôt, tout est rapide, affairé. Se glisser en flâneur est facile, même à contre-courant. Sous les arcades, les boutiques des bouquinistes croulent sous un désordre qui n'a pas grand-chose à voir avec l'empire Fiat. On suit la voie Pô. À l'ouest, on aperçoit quelques cimes alpestres. Devant soi, des collines semées de villas patriciennes. On s'approche du fleuve. Les clubs d'aviron égrenés au long des berges ont un côté british mâtiné d'élégance italienne.

Les raisons d'admirer, de se sentir en accord ne manquent pas, mais le meilleur vient aussi de cette petite mauvaise foi initiale qui tient sa place dans l'alchimie du plaisir. Aimer ce que les autres ont dédaigné, ce dont ils se méfient. Il ne s'agit pas tant de jouer l'iconoclaste que de se concilier un pouvoir d'étonnement personnel. On n'est pas comme Léautaud qui achetait les exemplaires du *Neveu de Rameau* de peur qu'ils ne tombent en de mauvaises mains. Mais on n'est pas non plus de ceux qui ont envie de lire seulement ce que les autres lisent. On aime croire un peu en soi. Se plaire dans Turin.

Campo San Polo

Le cinéma de plein air, au cœur de l'été, à Venise, Campo San Polo. Un grand campo mais retiré, loin du tourisme obligatoire. On ne savait pas. Le film est commencé depuis longtemps. C'est bien de s'asseoir à distance, sur un banc. On aperçoit juste un bout de l'écran qui dépasse de la palissade. On entend la bande-son, on voit la moitié du visage de Mastroianni en gros plan. *Huit et demi.* Comme ça, en Italie, très tard, un soir de juillet. Un film qu'on ne voit pas vraiment, des paroles qu'on saisit mal. Mais cette musique de la langue italienne qui semble conçue pour le cinéma, pour un échange doux-amer entre un homme et une femme. Le volume excessif de la sono. Le vendeur de glaces est encore ouvert. On s'achète un granité café. On revient sur le banc. C'est drôle. Un pur moment de flânerie au hasard, et en même temps il y a une gravité dans cet instant décalé. On se souvient vaguement de *Huit et demi,* assez pour que quelques images biseautées, quelques phrases au timbre chantant, à la psychologie désenchantée, installent une dramatisation délectable, qui suspend le granité café dans une tonalité singulière.

À petits coups de langue on savoure la nuit si chaude. La vraie vie est sur l'écran demi caché, en noir et blanc. Dans l'inflexion inquiète des voix qui ne parviennent pas à rapprocher les êtres. Des haut-parleurs attestent sans concession cette vérité mélancolique. On est toujours juste à côté, on ne s'aime pas. La vraie vie est un spectacle. On achète un ticket pour se rassembler sur des chaises bien alignées, pour être triste ensemble. Et puis, quand même, il y a une autre vraie vie où l'on déguste un granité café en se disant c'est bien, le cinéma de plein air, qu'est-ce qu'ils passent la semaine prochaine ? Tiens, un Woody Allen, ça doit être marrant, apparemment il n'est pas en version originale. Dans les histoires d'amour, les hommes et les femmes se manquent, mais, quand la nuit est belle, la tristesse du

cinéma est bonne, on arrivera tôt, on passera la palissade, surtout pas de v.o., juste
des mots très vite en italien, très tard Campo
San Polo.

Le ballon jaune

Campo San Giacomo da l'Orio. C'est là que j'aime écrire dans Venise. En plein mois d'août il y a quelques touristes, mais c'est une vraie place italienne, avec son église modeste, aux absides rondes. Sur les murs, le crépi rose tombe au fil des ans, laissant à nu des briques inégales. Des façades ocre ou rouges, volets vert sombre. Des platanes, deux fontaines, et toujours une rumeur légère où domine le claquement des chaussures d'enfants qui coursent les pigeons. Juste en dessous, le babil tranquille des vieilles dames en fauteuil roulant installées par leurs femmes de compagnie — après la toilette, on ira sur la place.

Depuis plus d'un an, la haute gouttière d'une abside retient prisonnier un ballon jaune. On le voit qui dépasse quand on lève

49

la tête. Au-dessus le ciel, immuablement bleu, à côté une gargouille à tête de lion. Le ballon jaune me rappelle la petite balle rouge de Vallotton dans ce tableau tant reproduit où l'on voit un enfant fin dix-neuvième, sous les ombrages d'un parc, un peu guindé sans doute, et comme prisonnier de son envie : la balle rouge, si loin, dans une tache de soleil. L'envol du ballon jaune du Campo San Giacomo da l'Orio a dû succéder à un jeu beaucoup plus énergique. Mais à présent qu'il est perdu, il a gagné la même perfection.

Et je pense à mon enfance, à ces boules étranges d'une tonalité framboise un peu métallisée, comme posées dans le ciel, traversées par un fil électrique noir. On me disait qu'elles servaient à éviter aux aviateurs de descendre trop bas. J'étais sûr qu'une satisfaction incomparable viendrait de la possession d'une de ces sphères faussement prosaïques.

Des ballons impossibles et des ballons perdus, un désir douloureux à satisfaire ou bien à consoler. Un ballon jaune au bord de la gouttière, Campo San Giacomo da l'Orio.

Quelques cerises noires

Le vaporetto s'arrête à Burano. Je laisse s'écouler le flot des touristes, happés par la première venelle où se déploient les étals des vendeurs de dentelle. Là-bas, à droite, sous les arbres, le long de la mer, j'ai aperçu cet espace de nonchalance rythmé par quelques bancs de bois très vieux, confortablement évasés par le tutoiement de tant de corps détendus. Début d'après-midi, chaleur de plein été. Des autochtones se reposent là, bavardent avec cette véhémence italienne qui dédramatise tout par désir de dramatisation. D'autres se taisent, allongés de tout leur long. Au loin, la silhouette d'un campanile se dresse au milieu des herbes lagunaires. C'est sans doute une autre île, et je m'y perds un peu. Plusieurs bancs sont restés libres, et je vais tout au bout de l'esplanade. C'est très beau de voir se découper ainsi les maisons bigarrées de Burano, ce bleu léger, ce jaune mat, ce rouge brique éclaboussés de lumière, au-delà de tant d'ombre. J'ai tiré de mon sac quelques cerises noires. Elles n'ont taché qu'à peine le papier brun. Mais sous leur étonnante fermeté, la peau imperceptiblement humide, quel soleil cuit, quelle révélation profonde et sucrée de chair offerte ! On dirait que toutes les autres cerises, du jaune-rose un peu acide des napoléons au rouge serein des burlats, ne sont que le brouillon de cette perfection si mystérieuse et douce : les cerises noires !

J'ai envie de rester là très longtemps. Quand j'aurai mangé toutes les cerises, je ferai peut-être la sieste. Rien ne m'appelle. Pas besoin même de se soucier de l'heure du retour. Ici, il y a toujours un vaporetto qui vous attend, et l'on prend la mer avec un naturel routinier, un peu étonné pourtant par les Italiens qui lisent le journal pendant le voyage. Pas de livre en cours, et, je me le suis promis, pour quelques jours au moins pas même de vague idée de livre à commencer. Je le sens, je le touche ici, allongé sur mon banc, dans cette absence d'heure : c'est ça l'été, et les vacances devraient être toujours ainsi — une bulle d'éternité tranquille avant une sieste possible.

Ce matin, j'ai acheté *La Gazzetta dello Sport,* pour le plaisir de feuilleter ces pages roses, en devinant le sens des titres. C'est le piment supplémentaire à tout vrai repos : décomposer l'effort des autres, en s'en tenant pour soi-même à la plus stricte immobilité. À trop compter treize foulées entre les haies du quatre cents mètres, je me suis assoupi sans doute. Je me réveille et tout est toujours là, le soleil n'a pas encore fléchi entre les branches. Bien sûr, je suis à Burano, mais cela pourrait être n'importe où ailleurs, un n'importe où sans courrier, sans téléphone. À l'abri des ondes qui traversent et font vivre dans une perpétuelle inquiétude, un éternel en avant. Ici, la paresse et l'absence me mènent vers des sensations passées, des éclats d'enfance, souvenirs de baignade au bord de la Garonne au vieux platane, et ces odeurs mêlées de vase et de feuilles de peuplier, pain beurre chocolat à l'heure du goûter, emmailloté dans sa serviette. Oui, ce rien est trompeur, il ouvre des clairières au fond de soi, dans le silence et la chaleur, le corps réconcilié cherche des pistes de mémoire.

À Burano, sur la planète Terre, il y a cette lumière de l'été, de tous les étés rassemblés. Le voyage est en soi, il commence quand on s'arrête. Il a le goût profond, léger, d'une poignée de cerises noires.

Je fais la vaisselle. De temps en temps, je relève la tête et regarde par la fenêtre, au-dessus de l'évier. Le jardin est encore nu, les branches du vieux cognassier vert-de-grisées déploient leurs tentacules sous un ciel un peu mauve, comme si l'orage allait se lever. À France Inter, une émission sur les enfants autistes. Une mère raconte l'enfer qu'elle a connu avec sa fille, l'hôpital psychiatrique, la cellule, les électrochocs et puis la mort. Je me sens soudain si dérisoire avec mon envie de dire les choses bonnes.

La maman explique qu'elle a éprouvé le besoin d'écrire un livre sur cette part de sa vie. Elle n'analyse pas les raisons qui l'y ont poussée, ne parle pas de catharsis, d'oubli ni de mémoire. On sent que ce qu'elle a connu est tellement au-delà de toute psychologie.

Une averse de grêle cingle les carreaux. Les mains mouillées, la vaisselle terminée, je reste là, à écouter cette voix douce et forte qui dit à présent :

« C'est drôle. Je me suis mise à écrire le livre, et les seules choses qui me revenaient, c'étaient les bons moments. »

Cette lumière-là

On a rendez-vous avec lui chaque semaine, à la station de métro, en haut des marches. Sa maman l'amène avant de partir travailler. En général, on est un peu en avance, et on les voit surgir en plongée. Parfois il veut faire le grand en montant les marches, mais souvent sa maman le tient encore dans ses bras en lui disant quelque chose à l'oreille. Il relève la tête, et tout de suite c'est là, ce regard qui croise le vôtre et la lumière qui s'allume dans ses yeux. On est plutôt un peu terne dans la ville, on a un âge où les regards glissent sur vous sans s'arrêter. C'est peut-être pour mieux éprouver encore l'intensité de ce miracle. Bien sûr, on a déjà plein de choses partagées avec lui : des spectacles de marionnettes où l'on est allés ensemble, et surtout ceux qu'on a faits avec lui dans l'appartement. Il regarde un moment, puis passe derrière le petit castelet. Il veut débusquer le mystère de la coulisse. On lui enfile Guignol sur une main, Madame Michu dans l'autre, et comme il parle peu encore on lui suggère de les faire danser, et ils finissent la scène avec un bisou un peu rude. Avec lui, on mange du steak haché, de la purée. D'habitude, on n'aime pas le steak haché, mais avec lui c'est bon, et rien n'égale la fraîcheur de la pomme râpée pour le dessert. Avec lui, on va dans le bac à sable du square, on essaie de creuser un peu pour trouver du sable humide, faire un pâté parfait. Mais il s'en fiche, et préfère marcher inlassablement sur le rebord en surplomb, une main tenant la clôture. Avec lui, il y a quelques pleurs au moment de changer la couche ou de mettre des gouttes dans le nez, mais aussitôt après des fous rires sur le lit. Avec lui, on passe des heures devant les panthères du Jardin des Plantes ou bien assis sur le muret devant les flamants roses.

Oui, sans doute, il y a tout cela dans la lumière qui s'allume. Mais ce serait telle-ment la réduire que de penser la mériter. On est dans la ville, anonyme, les passants s'écoulent, on a tant et tant marché, tant gaspillé de jours, on se croit presque résigné, et puis cette incroyable fraîcheur d'un œil tout neuf et déjà familier, qui vous transperce et vous quitte aussitôt pour se concentrer sur la montée des marches... C'est comme si tout le temps perdu trouvait sa chance au fond de ce regard muscat. En haut des marches, chaque fois.

Passez une bonne après-midi

Bien sûr, il y a l'agressivité du trafic, les coups de klaxon des bus pilant brusquement au débuché d'un cycliste brûlant le feu rouge. Bien sûr, en sortant au métro Laumière on a distingué les groupes de jeunes garçons, tous jouent au foot, à la console, envoient des textos. Le quartier est plutôt vert, de ce vert presque translucide de la fin d'avril, une buée de vert poisseuse et fruitée en haut des marronniers.

En sortant du métro, on se sent un peu perdus. On est le couple de grands-parents promenant son petit-fils. Embarrassés par la poussette, le sac avec le biberon, le change, le sac avec la pelle et le râteau, en cas de bac à sable. Tout cela qui entrave la marche — surtout quand le bébé, lassé de la poussette, a réclamé les bras — dessine dans le tissu social une image rassurante, on sait qu'on n'effarouche pas. On n'hésite pas à héler la première jeune femme qui passe avec sa fille : « Pardon madame, le parc des Buttes-Chaumont ? »

Il y a toujours cette petite inquiétude dans le regard de ceux que l'on aborde — mais là si vite dissipée. La petite fille a une douzaine d'années. Très fière, elle donne le renseignement en même temps que sa mère. Et comme on les remercie, la mère hésite à reprendre le cours pressé de la marche, marque un infime recul pour envisager le groupe si prévisible qui vient de l'interroger. Des grands-parents. Un tout petit garçon, les Buttes-Chaumont — ils y viennent à l'évidence pour la première fois. La douceur inespérée de cette après-midi. Un vrai soleil, ils ont dit qu'il y en a au moins pour trois jours. La fierté peut-être que l'on éprouve toujours à répondre à une question posée. La mainmise sur le programme espéré des promeneurs-interrupteurs — ils vont sûrement aller au manège, pour le guignol il est un peu petit. Mais quelque chose de plus fort aussi, une chaleur humaine qui ne souhaite pas se payer de mots mais se livre étonnamment comme ça, sur le trottoir, quelques secondes. On n'entend plus rien de la rumeur hostile du trafic. Si furtivement, la femme a posé sa main sur le poignet de la grand-mère, elle s'en va déjà. Elle dit : « Passez une bonne après-midi. »

Ce souffle-là

C'est beau, quand les technologies nou-velles inventent une manière différente de sentir, révèlent autrement. Il y a la scène du téléphone dans *La Recherche,* lorsque le nar-rateur perçoit l'extrême fatigue de sa grand-mère, que sa seule présence physique sait encore dissimuler. Il y a ce rapport établi chaque fois entre une nouvelle entendue à la radio dans une voiture et le paysage découpé par le pare-brise — le lien est fixé à jamais dans la mémoire.

Avec l'ordinateur, c'est bien quand la personne qui l'utilise dans la même pièce que vous cesse de consulter un site pour se repasser un film très bref, enregistré avec un appareil photo-caméra numérique de qualité médiocre. Un souffle s'installe alors, d'autant plus marqué que la caméra est plus rudimentaire. Cela reste un bruit léger, comme des pales de ventilateur tournant en sourdine. Ce son-là commande un espace de mémoire dont on devine le sujet sans en connaître les contours précis — parfois on a envie de s'approcher, mais c'est meilleur encore de rester à distance sans regarder l'image, d'entendre le « Viens voir ! » qui ne va pas tarder.

Presque toujours, le ronron-ventilo est traversé par une voix aiguë. Une autre voix lui succède qui recommande, admire ou feint l'indignation. Tout cela dans la seule prononciation d'un prénom. C'est sûrement dans un jardin, un square, sur une plage. C'est sûrement un tout petit espace de liberté — pas de danger, puisqu'on a pris la caméra pour conserver la scène. Un bon moment, sans intérêt pour les autres, mais qui retient pour soi le sel de l'existence. Un bon moment dont la tonalité sonore a déjà la cadence confortable d'un vieux film dans une salle de cinéma à l'ancienne, avec un projecteur qui brasse l'air. On ne voit rien que le dos de l'écran relevé de l'ordinateur et sa blancheur glacée. Dans la buée de bruit, une voix familière, à peine déformée, répète seulement : « Sacha ! »

Je suis dans la foule serpentine qui attend pour acheter des billets, à Saint-Lazare. Veille du pont du 8 Mai. Beaucoup de monde, alors les gens ne sont même plus pressés. Ils laissent un espace devant eux avant de progresser. Je la vois s'approcher. La quarantaine, jean et pull bleu en pointe, un petit gâteau plat qu'elle tient de la main droite, à l'horizontale. Je crois qu'elle veut un renseignement, mais elle me demande : « Vous êtes bien Philippe Delerm ? » Je dois faire un petit oui, ou un simple mouvement de tête approbatif. Je vois qu'elle a une hésitation, comme si elle rassemblait des forces pour parler vite. Elle parle vite : « J'ai perdu mon mari il y a un mois. Je relis vos livres. C'est le détail qui me permet de tenir. »

J'ai à peine le temps de balbutier un merci,

de composer maladroitement un sourire qui se veut de gratitude, ne saurait sans indécence tomber dans la compassion. Mais déjà elle s'éloigne. J'attends quelques secondes pour risquer un autre coup d'œil. Elle est assise sur un des petits bancs rouge corail près des vitres, termine son gâteau, s'essuie les mains. Elle tourne résolument les yeux dans la direction opposée à la mienne, et son attitude a quelque chose de dur et de fermé, comme pour compenser. Je ne dois pas la regarder. Un bon quart d'heure plus tard, mon billet acheté, je constate qu'un gros monsieur à moustache l'a remplacée sur le banc rouge. Le cadeau qu'elle m'a fait est merveilleux et triste. Si affectif, mais en même temps si littéraire. C'est le détail qui me permet de tenir.

Le café dans un verre

C'est dans une communauté d'Emmaüs, une après-midi de novembre, à l'étage des fripes et des verroteries. Il ne fait pas chaud, les vendeurs ont gardé leurs manteaux, leurs canadiennes. Près du poêle, la doyenne trône devant un large comptoir, et centralise les tickets sur lesquels ses collègues ont écrit au crayon le prix des articles achetés. Un homme a apporté sur un plateau deux colonnes de ces gros verres Duralex aux bords évasés comme on en voyait partout, comme on n'en voit plus nulle part. Il y a une cafetière fumante d'émail rouge un peu cabossée, une boîte de biscuits bretons pleine de sucres n° 4, quelques cuillères, des petites galettes rondes dans une soucoupe.

On distingue un peu son haleine quand on souffle. Ils s'approchent tous à tour de rôle, sans tarder. Le café semble brûlant mais pas très fort, d'un brun de chocolat au lait dans la transparence. Ils mettent tous du sucre et touillent consciencieusement avant d'emporter leur café dans leur coin de vente. Revenus à leur place, ils encerclent le verre à deux mains, comme s'ils avaient besoin de les réchauffer, mais c'est l'idée qui les réchauffe. Dehors, par les vitres hautes du hangar, on voit qu'il fait déjà presque nuit. Avant, il y a peut-être eu de l'un à l'autre un « Ça ne fera pas de mal de prendre un café ». C'est le cœur de l'après-midi. Leur occupation irrégulière — pas mal de clients aujourd'hui, c'est toujours pareil quand il pleut — a amplifié l'attente en creux.

Mouillure du dehors sur les épaules des visiteurs, mouillure imbibée du dedans sur les lourdes vestes, les vieux manteaux militaires empilés. Sur ce mélange fade l'odeur du café sucré prend. Ils en laissent un peu au fond du verre, tant pis s'il refroidit. Il faut être interrompu par la demande d'un client, poser le Duralex sur un coin de table, lui ménager assez d'espace pour qu'il ne risque rien. Le café froid est un bon souvenir du café chaud. Les premières lampées parcimonieuses ont été prises chacun pour soi, mais presque ensemble. Communauté. Loin, si loin derrière eux il y a des vies cabossées, des gestes vifs, de la violence, de l'alcool. Ou pas de chance simplement, des gens près d'eux qui se sont éloignés, se sont perdus dans un brouillard de pluie, et c'est novembre au fond.

Celui qui vend les cendriers se souvient de son grand-père. Quand il buvait son café, dans le reste de sucre, on pouvait déchiffrer les syllabes : Du-ra-lex. Une autre vie. Il y a de l'amertume et du sucré, la soirée sera lente, et la télé pour la télé. Ils ont parlé d'acheter une machine à café. Le café serait meilleur. Meilleur? Il se méfie. Il aime bien le café dans un verre.

Deuxième vie

« Répétez-moi ça sans rire! » Il y a des phrases comme ça dans les vide-greniers, un petit jeu dont ni le vendeur ni l'acheteur ne sont dupes, et qui finit par créer, au-delà du marchandage obligatoire, une convivialité débarrassée des formalités habituelles de la rencontre — à l'insolence codifiée des premières phrases succède souvent une sincérité compensatrice, personne n'est floué dans ce rapport. Il y a une jolie façon de traverser la campagne, par des routes minuscules où deux voitures ne se croisent qu'en empiétant sur les champs. Il y a évidemment beaucoup de poupées Barbie et de vêtements pour bébés, mais aussi des albums du journal *Spirou* année 1958 à cinq euros, des dessins coups de cœur à quinze euros qui descendront à dix. Rien à voir avec les salons antiquité-brocante où les vendeurs désabusés distillent leurs diktats avec une prétention condescendante. Il y a la jubilation sans pareille de terminer la tournée des vide-greniers par une barquette de merguez-frites, accompagnée parfois d'un verre de rosé.

Mais le plaisir profond de la foire à tout est ailleurs. Sous la désinvolture apparente du commerce élastique se cache le pouvoir de faire vivre une autre fois. Devant un stand tenu par deux gamines, on lance : « Combien, le portrait ? » Elles se regardent, hésitent, finissent par estimer à deux euros ce tableau dont elles n'escomptaient rien, avec son cadre cassé, un petit trou dans la toile. « Je crois que c'est mon arrière-grand-père. »

Son arrière-grand-père, ce militaire sévère et galonné, dont la mine témoigne du peu de goût qu'il éprouve à figurer entre un carton de cassettes VHS et une boîte de Lego ? « Et tu vends ton arrière-grand-père deux euros ? » Elle hausse les épaules. Avec une parfaite mauvaise foi, on joue la comédie du sacrilège. On sait bien que c'est au fond tout le contraire. Dans les vide-greniers,

Proudhon serait content. L'idée de la propriété recule. Les choses vont à qui saura leur donner une petite vie nouvelle. Pour deux euros, on ne meurt plus.

La peur de l'Oise

L'Oise. Des ruelles descendaient vers l'Oise, entre des jardins penchés. J'avais trois ans, quatre ans. L'Oise... On répétait ce mot dont je mêlais la musicalité trompeuse au délicieux effroi que me donnait l'idée de la rivière. Je ne sais si l'on peut dire d'une odeur qu'elle est à la fois âcre et fade, mais dans ma mémoire c'est cela : la peur d'un enlisement et le vertige d'une aventure possible. On marchait le long de la rue étroite qui mène infiniment de l'école de Chaponval à Auvers, et j'entrapercevais l'Oise par intervalles, sur la droite, en m'éloignant de la maison d'école, comme si l'intimité de la promenade familiale ne prenait sens qu'en ouvrant sur un ailleurs redoutable et tentant.

Le plus souvent, on ne descendait pas vers la rivière. Elle demeurait un ailleurs frôlé, une tentation et un danger. Parfois, on s'en approchait cependant. Le royaume prenait alors une dénomination étrange : chez Batlory. Ces territoires stupéfiants étaient donc *chez* quelqu'un. Une espèce de démiurge, dont le nom liquide ne me rassurait guère. Je ne garantis pas l'orthographe du patronyme, mais je ne tiens pas à vérifier du côté de mes proches, car c'est ainsi que j'ai possédé le mot, et l'ai gardé. Chez Batlory, il y avait des barques, un café de plein air, et surtout le mystère d'une personne qui vivait de l'Oise. Qui d'autre qu'un demi-dieu pouvait ainsi pactiser avec la volonté de ces ombres liquides ?

Pendant l'hiver 1954 on m'a fait découvrir l'Oise gelée, mais je n'y ai pas vraiment cru. Devinée entre une écharpe et un bonnet, cette dureté gris cendré n'avait pu se substituer à mes belles angoisses déclinées dans tous les verts.

La peur et le désir de l'eau m'ont poursuivi. Aller à Dieppe était une fête. En haut de la côte, on s'écriait : « Voilà la mer ! » Et le reste du jour, je me tordais les chevilles sur des cailloux sombres en redoutant l'agression des vagues. Et que dire de la Garonne chaque été, sa tonalité fuyante de serpent dans l'odeur de vase et de menthe ? Presque toujours, l'approche de l'eau était liée à un vacarme provocant, les manifestations d'un plaisir pagailleux, un chahut permis, encouragé, qui me glaçait, surtout dans les piscines, où cette joie canalisée, obligatoire, me faisait honte. Comment pouvais-je craindre ce que chacun désirait si bruyamment ?

Longtemps, j'aurais tout donné pour troquer mes terreurs transies contre une audace aquatique. Mais je sais aujourd'hui que c'est très bon d'avoir gardé la peur de l'eau, la peur de l'Oise.

Je suis assis sur un banc dans la roseraie du Jardin des Plantes. C'est l'automne. Il y a cette mollesse, cette moiteur de l'air quand la chaleur d'octobre va venir. Le samedi matin voit défiler surtout des joggers dans les larges allées, un peu plus loin. C'est incroyable comme chacun a son allure, son tic du bras ou de l'épaule, sa façon de dérouler le pied sur le sol. Les hommes ont souvent des maillots imprimés, Marathon de Paris, Marathon de New York, Vingt kilomètres du Val-de-Marne, une petite bouteille d'eau minérale à la main, ou, suprême confort, rangée dans une sangle dorsale. Les modèles de chaussures ont requis tous leurs soins, mais la couleur des chaussettes semble assez indifférente. Les femmes ont des tee-shirts amples, des collants soyeux.

C'est sans doute cette effervescence athlé-tique qui a donné à la petite fille l'envie de courir aussi. Elle s'est détachée de son groupe familial, que j'aperçois là-bas, tout au bout de la roseraie. Elle court sans chi-qué, à grandes foulées peu économiques, et l'on n'imagine pas qu'elle puisse tenir à ce rythme plus de deux ou trois cents mètres. Elle va passer devant mon banc, dans l'allée mince conçue pour permettre d'admirer les fleurs. Elle me frôle en coup de vent, le regard droit devant elle, toute à sa course, à son élan. Mais, trois mètres après m'avoir dépassé, elle me lance un bonjour étonnant.

« Bonjour ! » Bonjour dans un essouffle-ment presque héroïque. Bonjour avec une petite touche de remords. Pourtant, elle ne va pas dire bonjour à tous les gens qu'elle va croiser dans le jardin. Mais bonjour parce que l'allée est trop proche de mon banc pour ne pas induire une exigence. Moi je n'ai rien dit, bien sûr — je ne vais pas commencer à héler les petites filles dans les parcs. Je n'ai rien dit et c'est trop tard. Pour moi qui vais rester médusé quelques secondes, en charge de ce bonjour suffoqué jeté dans l'espace, mais dont je ne peux faire semblant d'ignorer le bénéficiaire. Pour elle, polie et même un peu affectueuse à retardement, qui continue à courir sans savoir si son bonjour a été apprécié ou trouvé ridicule. Elle court encore quelques instants, puis s'arrête sans se retourner. La famille passe à son tour devant moi, et nous ne nous saluons pas, regard légèrement ailleurs — c'est quand même Paris. Paris où l'on ne se rencontre guère, mais où l'on hésite aussi parfois à ne pas se rencontrer. Bien vaporeux dans mon rhume d'octobre, je goûte ce bonjour qui flotte au soleil décalé.

Vivante par défaut

On aime bien la porte qui résiste. Certains la claquent en partant comme ils feraient avec une serrure fonctionnelle. Un ébranlement de vitre et de bois naît dans leur dos comme un reproche immédiat. Ils n'avaient pas pensé commettre un tel outrage, et cependant le battant rebondit brutalement contre son frère jumeau. Les invités se retournent, écarquillent les yeux, vous implorent du regard :

— Laissez, ce n'est pas grave. Elle ne connaît que ses maîtres.

D'autres, qui viennent plus souvent, savent qu'il faut s'y prendre en douceur. Ils n'essaient pas vraiment de tourner le bouton, qui garde une impeccable immobilité au mépris des torsions les plus savantes, mais réunissent les deux battants lèvre à lèvre avec une espèce de sournoiserie feutrée, voilant jusqu'à l'ultime instant du rapprochement la saccade énergique susceptible de réveiller le mécanisme serrurier. Mais c'est en vain. L'équilibre nécessaire entre douceur et brutalité touche ici à un dosage homéopathique, que seule l'intimité quotidienne permet de dominer.

La subtilité requise est plus grande encore quant à l'introduction de la clé. Il y a d'abord la précision millimétrique de l'enfoncement. Mais la difficulté vient de ce que le juste endroit ne se révèle pas par une franche résistance. Il garde une mollesse perverse, commune à tous les degrés d'enfoncement. On tourne toujours la clé dans le vide — mais il faut sentir que ce n'est pas tout à fait le même vide qu'ailleurs. Après un presque quart de tour, ce vide-là agrippe comme par miracle une résistance inespérée. Le reste est jeu d'enfant.

L'ensemble de cette gestuelle incantatoire est l'affaire de quelques secondes, mais une incontestable volupté règne dans cet échange avec la porte résistante. C'est le défaut apprivoisé qui fait la possession vivante.

La passagère

La maison. Allure de pensionnat anglais devant, de cottage irlandais derrière. On y a entassé au fil des ans des strates de lecture et de création, des tableaux coups de cœur sans valeur marchande chinés dans les brocantes. Il y a des livres partout, dans les meubles, sur les tables basses, en piles sur le sol. On a dans le jardin l'hortensia feuille de chêne devenu presque un arbre, et le vieux cognassier dont le tronc s'est fendu, mais qui continue à distribuer ses branches en forme de tonnelle. Au fond, les granges et le théâtre miniature. On a des amis qui passent, traversent tout cela, le vivent dans l'élan d'une soirée, avec les sensations qui doivent s'imprimer en eux, mais on parle, et ils parlent. Le flux tendu de la conversation est comme une espèce de pudeur nécessaire, on boit un peu, on rit.

Et puis il y a ma mère très âgée qui vient passer huit jours, de temps en temps. On parle moins, on vit près d'elle, on écrit, on dessine, on corrige des copies, c'est ça qu'elle aime. Se plonger dans notre vie, ne pas se sentir un poids pour les autres. Elle peut rester indéfiniment à lire dans un fauteuil, à regarder longuement toutes les affiches, à faire un tour dans le jardin avec ce pas rasant et lent imposé par l'arthrose aux genoux, mais qui semble si métaphorique de sa discrétion ravie. Elle effleure en pénétrant. Elle fait ce qu'on ne saurait imposer à ses autres invités, fussent-ils les plus proches : se taire et goûter le détail.

La maison attend cela. Enfin quelqu'un qui lit vraiment, qui regarde vraiment, qui justifie tout ce qu'on a gardé, tous les signes des jours préservés, et jusqu'au rythme du présent. Bien sûr, on s'arrête d'écrire ou de corriger, on lui propose un thé, on bavarde. Parfois, on l'emmène en voiture jusqu'au Bec-Hellouin. Elle adore regarder le paysage par la vitre, depuis qu'elle ne peut presque plus marcher. Mais on rentre assez vite, demain collège à huit heures, trois cours à préparer. Martine va faire du feu dans la cheminée, ma mère reprend un livre de Jacques Réda, interrompt sa lecture pour regarder les flammes. De tout le sens de notre vie, elle est la passagère. Et maintenant qu'elle n'est plus là, la maison s'en souvient.

Chez moi

Un bout de papier peint se décolle dans la salle à manger. Il va falloir repeindre la grille. L'empilement des livres est devenu problématique — certaines tours sont si hautes que chaque passage d'un poids lourd dans la rue les menace. Et puis ce garage qui ne sert à rien, dont les planches commencent à se disjoindre, quand me déciderai-je à en faire une chambre d'amis ? Mais même le remords léger de toute cette procrastination diluée depuis tant d'années fait partie du plaisir.

Pourquoi étais-je parti, sinon pour me sentir à ce point chez moi en revenant ? J'écouterai plus tard les messages téléphoniques. Il y a bien de quoi dîner avec les restes du pique-nique de midi. Demain seulement les courses, demain le courrier en garde à la poste. Surtout ne pas allumer la télé. Passer de pièce en pièce, lentement. Une succession de sensations qui n'en font qu'une. Savoir comment chaque geste suscite le même effet, le grincement de la porte du salon, le silence de la porte de la chambre, ce craquement du parquet juste à gauche du placard, la petite reprise cascadeuse du remplissage de la chasse d'eau. Une odeur humide que j'ai du mal à démêler, chaque fois, à la fin de l'été, l'humidité de cette maison-là — à quoi bon en maîtriser les composantes? Il faut juste ouvrir les fenêtres sur le jardin, monter un peu le thermostat du chauffage, faire mitonner à feu doux la fin des vieilles roses, le début des cosmos et des dahlias, les mêler à cette fragrance confinée de quelques vieux bouquins chinés dans les brocantes. Toute la série des *Nouvelle Revue française* a dû prendre autrefois un coup de pluie après un long séjour dans un grenier. Oui, ça ne sent pas forcément ce qu'on appelle bon, non ça n'est pas fontionnel — cette fois, la serrure a bien failli ne pas se laisser faire. Mais c'est bien de sentir que la maison me dépasse et me contient tout entier, que c'est elle qui commande, et cependant... La serrure déglinguée me donne la clé d'un monde où la vieille Mme Portois régentait tout le quartier — j'allais chercher le lait chez vous, quand j'étais môme. Peut-être à cause de cela. Je passe et repasse dans les pièces, sourire aux lèvres. On pourra arrêter le chauffage maintenant, la pâte a bien levé. Je deviens sans effort ce gâteau-là. Je suis chez moi.

Enfin!

Ah oui! c'est juste cette seconde-là. On s'affale dans le fauteuil, et le soupir qui monte est fait de toutes les fatigues. Avant l'ébauche du plaisir, c'est l'aveu soulagé de toutes les tensions mêlées, de tous les pas perdus, de toutes les petites dissimulations du jeu social, de toutes les contrariétés. Oui, tout cela s'en va dans une bulle de soupir. On va enfin se sentir vrai, dans un assentiment du corps entier qui s'étire d'abord, puis très vite commence à se lover, à rechercher douceur et résistance, abandon et soutien. La nuque oscille de gauche à droite avant de s'enfoncer dans la béatitude. Le dos n'en finit pas de se raidir et de se relâcher, d'épouser au plus près cette structure étrange qui lui veut du bien.

Dans un lit, le corps s'oublie, s'efface,

s'engloutit. Dans le fauteuil, c'est bien plus ambigu : on veut tout relâcher sans se déprendre. On ne s'abolit pas. On éprouve sans cesse, on habite les formes. Le bien-être n'est pas fuite, il apprivoise le présent.

On est là, vraiment là, calé dans une parenthèse infime. En amont, tout s'est envolé. Quant à l'aval, on se sent bienveillant. Bien sûr, on va prêter une oreille attentive aux propos qu'on commence à vous tenir. Mais il faut bien aussi ce moment minuscule où l'on n'écoute pas encore. On opine du chef, on bat de la paupière, comme pour différer l'instant où il faudra parler soi-même. Car on est tout entier à ce dialogue silencieux entre corps et fauteuil. Bientôt le plaisir de la sensation va se diluer dans une activité mentale retrouvée. Alors cueillir en douce ces secondes si pures où le temps disparaît. Juste après le soupir on se sent vraiment bien, tout le corps apaisé dans sa coque profonde. On existe dans l'absolu, sans idées, sans projet. On va croiser les jambes, les étendre, bouger pour revenir au bonheur chaud de l'immobilité, dispos et protégé, présent, lointain, caréné au plus près dans cet espace-temps qui obéit. Enfin !

Pendant longtemps, j'ai expliqué à mes élèves de sixième un poème intitulé *Le baba et les gâteaux secs*. Un texte drôle à commenter et plus encore à réciter, en encourageant les enfants à se lancer dans une hébétude pâteuse pour incarner le baba : « Oui, le baba se soûle sans vergogne au milieu d'une assiette humide s'étalant », et à se raidir de tout leur corps en pinçant la bouche pour devenir gâteaux secs : « De honte et de dégoût tout confus et tremblants les gâteaux secs regardent cet ivrogne. » J'ignorais le nom de l'auteur, et j'écrivais au bas de la page : texte anonyme. Souvent, on m'a soupçonné d'avoir écrit ces lignes moi-même, ce que je trouvais flatteur. Et puis une amie m'a offert un jour un volume à l'ancienne à la couverture jaspée. Sur la tranche, en lettres dorées comme il se doit, *Fables,* et le nom de l'écrivain : Franc-Nohain. Entre *Le bouc qui s'était fait raser à l'américaine* et *Les hannetons à la mode* figurait bien *Le baba et les gâteaux secs,* à la page 122. « Achevé d'imprimer sur les presses de l'Imprimerie moderne, 177, route de Châtillon à Montrouge (Seine), le vingt-six mai mille neuf cent trente et un. »

Davantage encore que dans l'explication du texte et sa déclamation comique, la partie savoureuse de l'affaire se situait dans la discussion qui naissait chaque fois dans la classe, sur un sujet qui échappait aux programmes officiels, mais suscitait chez les sixième un enthousiasme parfois difficile à contrôler. Certes, la sympathie générale allait au baba, tout heureux de s'engluer dans une macération épicurienne. Mais il fallait convenir qu'il était difficile de s'affranchir d'une attitude au moins partiellement gâteau sec si l'on voulait préserver ses chances d'existence : « Cite-t-on pas tel massepain qui devint quinquagénaire ? »

L'image forte qui me reste de ces discussions passionnées demeure toutefois celle d'un Nicolas légèrement enveloppé. Regard futé, cheveux roux, taches de rousseur. Avec un enthousiasme irrépressible, il ne souhaitait pas s'en tenir à une réflexion à ses yeux desséchante, fût-elle consacrée aux mérites nécessaires du sec et de l'imbibé, et lança d'une voix vibrante : « Moi, m'sieur, j'suis au moins à quatre-vingts pour cent baba ! »

Le bonheur des amers

Il y a un grand plaisir à lire les amers. Léautaud, Renard, Cioran, Pessoa. Ils sont tellement négatifs, sur eux-mêmes et sur les autres, et sur la farce d'être là. Ils écrivent très juste, très sec, et la sveltesse de leur phrase est comme une évidence : ils ont raison. Avec eux, on se sent à l'abri. Rien ne peut faire mal, puisque tout fait mal. Ils débusquent partout l'hypocrisie, la vanité des émotions. Mais ils disent le monde quand même et c'est beau, cette épure désespérée qui ne renonce pas à dessiner. Ils croient à la littérature, puisqu'ils ne croient à rien mais disent quand même. On aime bien guetter en eux cette contradiction. Ils ne pensent pas qu'ils resteront, mais ils restent.

Partout dans les rames de métro, dans

les trains, on voit aujourd'hui des lecteurs d'*Harry Potter,* de Stephenie Meyer. C'est cela, la véritable amertume. Un imaginaire tellement simplet et tous ces gens qui quittent leur vie pour s'évader dans beaucoup moins que leur vie. Des lectures que l'on devrait faire à dix ans, quand le pouvoir de s'embarquer vient de soi, transcende le code des aventures stéréotypées. Enfant, on lit pour se faire peur, de préférence au creux des draps. On est dans un agréable mensonge, le corps protégé, la tête dans le risque et la menace.

Ce qui reste toujours le plus fort, dans la lecture, c'est le paradoxe. Parfois, on a la chance de rencontrer un auteur qui a écrit : « Le désir de trouver le sommeil me réveillait. » Il y a quelque chose de cela dans le plaisir de lire les amers. C'est tellement rassurant de se dire avec eux que seules valent la solitude, la mélancolie qui pénètrent partout, sans toucher au lyrisme, une petite neige sur les jours. Comme on se faisait peur enfant, en lisant dans son lit, on se fait malheur dans son fauteuil avec Cioran ou Léautaud. Et cela fait du bien. On ne renonce à rien en lisant Renard, Pessoa. Même pas à l'espoir. On se protège. Leur négativité est presque délicieuse. Ils ont raison, bien sûr, mais ils n'y peuvent rien. Ils ont un style. Plus que les autres, ils aiment donc la vie.

Les avions de Virginia Woolf

Le plaisir de lire est composite. Il me rappelle que je suis plusieurs. Plaisir régressif
de plonger dans les premières pages d'un
album de *Blake et Mortimer,* en profitant
d'autant mieux du club londonien, whisky,
bibliothèque et fauteuil chesterfield, que la
menace d'Olrik ne va pas tarder à se manifester dans un décor tout différent, souter-
rain ou portuaire. Plaisir sans grand effort
de jouer le jeu d'un roman de Simenon — ah !
oui, c'est facile de devenir la vieille fille
quadragénaire un peu aigre qui vit par pro-
curation en détaillant les destins étriqués de
ses voisins d'en face. Cela ne m'empêchera
pas de devenir le même soir Léautaud, tellement avec les autres et toujours solitaire.
Savoureuse aussi la difficulté à reprendre *La
Recherche* et à retrouver le bon braquet, à me

dire que j'y mets de plus en plus de temps, mais que ça va revenir, et comme toujours avec Proust cette gratification miraculeuse d'y trouver autre chose.

Dans ce puzzle étonnant où les livres sont plus moi que moi — car si je mourais conscient, je ne serais pas à la seconde tous les livres que je peux devenir — il y a la fascination pour les livres que je n'atteins pas, et qui sacralisent la chaîne tout entière. L'*Ulysse* de Joyce. Arriverai-je un jour à pratiquer le mouvement natatoire qui me permettra de nager dans *Ulysse*?

Mais plus fascinants sont les livres que l'on atteint presque. Le film *The Hours,* hanté par le *Mrs Dalloway* de Virginia Woolf, m'a donné envie de retenter le roman — pas grand-chose à voir avec ce dernier, évidemment. Rebuté d'abord. Puis j'ai trouvé un rythme particulier. Quelques phrases et j'arrête, et je me sens curieusement, suavement nourri. Je peux rêver là-dessus dix minutes, et reprendre ensuite ma cure homéopathique woolfienne. Une passante, Mrs Dempster, suit des yeux un avion :

« L'avion s'éloigna, s'évanouit dans le lointain, au loin il s'envola; comme une flèche au-dessus de Greenwich et sa forêt de mâts;

au-dessus de la petite île d'églises grises, Saint-Paul et les autres, jusqu'au-delà de Londres où s'étendaient de part et d'autre des champs et des bois sombres, où des grives aventureuses, sautillant hardiment, l'œil vif aux aguets, attrapent l'escargot et le cognent, une, deux, trois fois contre une pierre.

« L'avion fila au loin, si loin qu'il ne fut plus qu'une étincelle vive, un souhait; un point de convergence; (et aux yeux de Mr Bentley, qui roulait avec vigueur sa petite bande de gazon à Greenwich) un symbole de l'âme; de la détermination de l'homme, pensa-t-il en contournant le cèdre, à échapper à son corps, à sa maison, par la force de la pensée, ainsi Einstein, les spéculations philosophiques, les mathématiques, la théorie de Mendel — l'avion filait dans le lointain. »

Dans l'édition Biblio de *Mrs Dalloway,* il y a plein de notes, certaines anecdotiques, et d'autres donnant des précisions quant aux axes de lecture (On est tour à tour dans la conscience de, puis de...).

Je suis désolé pour la personne qui a fait ce travail, mais il ne faut pas les lire. L'écart qui sépare et rapproche Mrs Dempster et Mr Bentley est à combler uniquement avec toutes les représentations du monde que j'ai connues par d'autres livres. Assez fabuleusement, il n'est peut-être pas du tout à augmenter ni à diminuer. Je ne prétends pas que je comprends *Mrs Dalloway*. Je ne suis pas sûr qu'il y ait dans *Mrs Dalloway* la clé du monde. Combien de conversations théorisantes ont-elles précédé cette tentative de mise en connexion des pensées séparées? Mais je sais que cet éparpillement est en moi désormais. L'avion de Mrs Dalloway et le whisky de Blake et Mortimer.

Nulle part ?

Le long de la Seine, au début d'une après-midi d'avril ensoleillée. L'air est presque frais quand un peu de vent passe, on n'en finit pas de remettre un pull, de l'enlever. Après Notre-Dame, le quai Montebello, les promeneurs se font plus rares. Vacances scolaires parisiennes. Un préadolescent a choisi l'ombre pour bouquiner, allongé dans l'herbe sur une petite pente. Une jambe repliée sur l'autre, il tient son livre par en haut, d'une seule main écartant la pliure du milieu. Les adultes choisissent plutôt la lumière. Un cadre a tombé la veste et, assis en tailleur au bord du fleuve, offre son visage au soleil avec une tension du cou exacerbée qui fait un peu mal. Il concentre la volupté réparatrice de cet instant de farniente, mais son corps trahit davantage le stress, la volonté trop appuyée de répondre à l'avance à la question qu'on ne manquera pas de lui poser : « Mais où as-tu pris un coup de soleil pareil ? »

Avant le pont d'Austerlitz, les bateaux-mouches font demi-tour. C'est la frontière. Commence un Paris fluvial qui échappe au concept touristique, peut-être même à l'idée de Paris. Une chance d'être nulle part s'ébauche. On continue à marcher. C'est très bon, cet instant où l'on ne sait plus trop bien si c'est possible, si on a encore le droit. Des bouts de route condamnés, des bordures métalliques qui protègent ou interdisent. Un très grand bâtiment bétonné, et juste un long couloir au bord du fleuve. Malgré le panneau « chantier interdit au public » on avance, en pensant que d'un instant à l'autre une voix va vous héler, un coup de sifflet va retentir. À défaut de Kerouac, on se prendrait bien pour un Nicolas Bouvier déchiffrant les zones d'ombre d'une Moldavie incertaine. Plus personne au bord du quai depuis au moins trois kilomètres, ça va finir en cul-de-sac et l'on sera contraint de faire demi-tour. Il y a une péniche pleine de ciment. Une autre a brûlé en partie. On distingue des roues dentées mangées de rouille. À jouer seulement sur le métal et la pierre, le soleil se fait menaçant, presque lugubre. Un non-lieu idéal pour une scène de tuerie dans un polar, l'eau coulera sous les ponts avant qu'on ait découvert le cadavre. Tout à coup, droit devant soi, les arcades encore lointaines du pont de Bercy, la silhouette d'un métro glissant dans le ciel bleu, incongru et docile, comme dans un tableau de Magritte. La balade redevient balade. Quand même, entre les deux, on a tutoyé l'aventure.

Au nord de soi

On ne peut pas dire où ça commence, quelque part dans la Somme, au plus glaiseux, au plus brouillardeux d'une plaine sans contours. On guette les signes les plus infimes, une plaque métallique Stella Artois sur un café, la brique un peu plus sombre d'une maison isolée, au coin d'un champ de betteraves, quelques pavés gras sur une place. C'est bon de se sentir au nord. Au nord de quoi? Dans un octobre, un novembre, un février mental, c'est comme si l'on retrouvait un espace inespéré, une béance. C'est très loin des clichés sur la proverbiale hospitalité des autochtones, qui compenseraient la rudesse du climat, du décor et de la vie par une générosité de cafetière toujours prête à chauffer pour le passant. On ne va pas au nord pour aller vers les autres mais pour aller vers soi, vers une part de soi solitaire, vaguement amoureuse, pas tragique mais sérieuse, écharpe ou col roulé pour parler au silence.

Les kilomètres de la route ont tout pour sembler mornes, mais on ne les vit pas ainsi. C'est un chemin initiatique dans le gris mouillé, et la campagne est un sommeil paradoxal entre deux eaux. Beauvais, Abancourt, Abbeville, il faut d'abord que les noms tombent lourd : des villes sans désir, abstraites sur les panneaux. On s'en approche sans danger, on sait que doit durer cette envie sourde, au creux de labours presque mauves. Après les moiteurs incertaines on sait que vont venir des villes belles, Hesdin, Arras, cette beauté du Nord qu'il faut toujours outrer pour convaincre le profane.

Tant mieux si l'autre n'y croit pas. On gardera pour soi la plage de Wissant, le cap Gris-Nez, le cap Blanc-Nez. Hors saison, quand les villégiatures balnéaires s'accorderont à cette bonne mélancolie où l'on se reconnaît, fouetté par le vent. Le Nord est une idée qui rajeunit. Si le comique y perd ses droits, il y a en contrepoint comme une chance à recouvrer, un romantisme un peu âpre dont on croyait avoir perdu la trace.

Aller au nord, c'est tailler à l'infini la route d'une intime vérité. On est toujours au bord, juste à côté, le long des courbes des canaux, des joncs à peine blonds séparent du ciel gris. Aura-t-on vraiment franchi une frontière en arrivant un jour au cœur de Bruges? Il semble que ce soit bien là le centre désiré de tous ces cercles concentriques. Dans la perfection de cet ailleurs flottant, qui fait semblant d'étaler l'opulence bourgeoise pour mieux distiller sa ferveur préraphaélite, sensuelle et mystique, on marche à l'infini, on se sait attendu. On est au cœur de soi.

Est-ce que c'est meilleur quand les autres ne l'ont pas? Longtemps, j'ai été sûr de la réponse, à l'heure où le sybaritisme me poussait à faire une petite sieste, en milieu de semaine, quand je n'avais pas cours l'après-midi. Alors, entendre vrombir quelques camionnettes d'artisans dans la rue, imaginer l'effervescence du collège et me plonger dans la lecture de *L'Équipe* avant de sombrer bien vite dans un sommeil légèrement coupable, c'était à l'évidence le comble de l'égoïsme et du plaisir.

J'en ai parlé autour de moi, et même à mes élèves. Les réactions furent diverses. Je croyais recevoir une adhésion gourmande, mais certains et surtout certaines se montrèrent réticents. Non, sincèrement, ils ne trouvaient pas meilleur de dormir quand les autres travaillaient. Ma casuistique se perdait dans des registres différents. Quand même, si tout le monde avait des bonnes notes, quelle serait la satisfaction d'en obtenir? Et je me découvrais, j'expliquais ma difficulté à publier mon premier livre. Que je le veuille ou non, ma satisfaction depuis était liée aussi au fait que d'autres continuaient à éprouver une tristesse que j'avais bien connue! Acquiescement poli ou flagorneur de quelques-uns, mais loin de l'unanimité.

Alors j'ai dû en rabattre, convenir au fond de moi que ma théorie ne saurait refléter le métabolisme de tous. Cela m'arrangeait bien. Cette disposition mentale allègrement perverse restait logique en trouvant une attirance supplémentaire à ne pas être complètement partagée. Mais il y avait quelque chose de monstrueux dans son principe. Pour être cohérent, il eût fallu admettre que le malheur des autres était indissociable de mon bonheur. Je n'étais pas aussi épouvantable. Il me fallut trouver une éthique un brin spécieuse et contradictoire — mais les petits humains, à moins de flamber au désert

comme la cire pure, en sont parfois réduits
là. D'accord pour ne pas souhaiter aux
autres le malheur. Quant au plaisir, je
réclame des indulgences.

Travailleurs du dimanche

Il y a une grande volupté à ne rien faire quand les autres travaillent. Mais plus surprenant peut-être, plus hypocrite et non moins négligeable est le plaisir de travailler quand les autres ne font rien. Les agriculteurs sont les champions du genre. Ils adorent envahir les routes et les champs en plein dimanche, justifiés sans doute par la nécessité affirmée devant leurs proches de se livrer à une tâche *qui n'attend pas.* Je n'ai jamais vécu la scène, mais une intuition me dit que les agricultrices ne sont pas dupes de cette nécessité, dont elles doivent concéder le bien-fondé avec un simple hochement de tête, comme si leur conjoint revendiquait le désir de faire un tour au bistro, ou d'aller voir jouer l'équipe de foot locale.

Est-ce une impression? Le paysan juché

sur son tracteur n'habite pas la route de la même manière, ces jours-là. Il a une brusquerie plus grande dans la manière de se retourner, dès qu'une automobile en mal de dépassement surgit derrière lui, dans cette zone resserrée, pleine de virages, où il faudra patienter. Le conducteur de la voiture ne peut être qu'un vadrouilleur dominical, qui va de rien à rien, mais qu'un ralentissement imposé dans ce programme agacera bientôt. Le coup d'œil en arrière et le déhanchement de l'agriculteur ne signifient en rien qu'il s'apprête à mordre sur le bas-côté pour laisser la route libre au farnienteur. Il s'agit davantage d'entériner un constat, eh oui, je sais que tu es là, mais il va falloir attendre, prendre conscience que nos existences ne sont pas de même essence. À ta vie régulière, petitement inscrite dans un déroulement prévisible, j'oppose les heures qu'on ne compte pas, la soumission aux seules lois de la nature. Cette route où tu progresses mignardement vers ton étroit désir est pour moi la frontière entre deux espaces libres que je maîtrise à ma guise — sur le ruban d'asphalte, tu as droit de passage mais pas plus.

Habiter la brocante

C'est une maison presque naine, dans le village du Bec-Hellouin. Brocante. Le panneau métallique invite à la visite.

On n'ose pas vraiment — gêne à l'idée d'être seul et de ressortir sans avoir rien acheté. Mais la lumière des lampes basses égrenées sur les tables, les guéridons, les commodes, la profusion des tableaux sur les murs sont trop tentantes. On pousse la porte et, bien hypocrite, on commence à inspecter les objets posés sur le buffet vernissé, comme si l'on s'intéressait à la boîte à musique-mariage 1900. En fait, on attend sournoisement de localiser la présence du propriétaire — souvent, dans ces cas-là, il ou elle est assis dans un fauteuil qu'on n'aperçoit pas d'abord. Le statut du brocanteur est toujours embarrassant. Dans quelle mesure sera-t-il, sera-t-elle femme de cadre qui s'ennuie, peintre à demi connu, vieil esthète en provenance de la rue de Seine ? Il ou elle aura de toute façon cette aisance confortable, cette désinvolture étudiée qui rendront vos atermoiements dérisoires — car il ou elle vous a vu bien sûr hésiter à pénétrer dans la maison-boutique, et sait à quoi s'en tenir quant à votre naturel.

— Bonjour !

Cette fois encore on est surpris. Il y a deux pièces contiguës, et le bonjour est venu de la seconde. Le brocanteur debout, manteau jeté sur les épaules, bavarde avec une cliente ou une amie. Les plafonds aux poutres apparentes sont très bas, les meubles si entassés, si chargés qu'on ne peut se déplacer qu'avec une lenteur précautionneuse. Le salut a été proféré sur un ton très cordial, et s'esquiver toucherait à la pleutrerie. On passe donc dans la seconde pièce, où la conversation s'est soudain espacée, comme s'il s'agissait en même temps de vous accueillir et de vous soupeser. À peine a-t-on regardé le petit escalier au fond que le propriétaire lance :

— Vous pouvez monter si vous le souhaitez !

Non, décidément, ce n'est pas une boutique. On est ici chez soi, et malgré toutes ses réticences on ne peut s'empêcher de trouver sympathique cette autorisation de vaquer à l'étage sans cerbère. On penche la tête au virage pour ne pas se cogner, et là... Les deux pièces du haut sont minuscules. Poutres, colombages, parquet : le bois sent la cire d'abeille. Sur une table ronde, des gravures dispersées : les sept péchés capitaux, un classique, mais traité ici avec un personnage féminin récurrent dont la sensualité lascive sous lampe Gallé s'accorde étrangement à la rusticité du lieu. Par les fenêtres, on voit la tour de l'abbaye, la forêt au loin, presque mauve dans le soir qui vient. On sait qu'on ne peut s'attarder, mais c'est meilleur encore ainsi. En quelques instants se crée toute une existence virtuelle, mélange composite de paysages mélancoliques découpés dans la campagne d'hiver, de pesanteurs villageoises entraperçues dans la rue principale, et de chaleurs ouatées, de convalescences espérées dans un fauteuil tout rond tendu de rouge, à compulser négligemment les sept péchés capitaux.

« J'ai laissé refroidir l'eau du bain en lisant ton bouquin. » Un joli compliment, comme un coulis de framboises sur la vanité jamais rassasiée de l'auteur. Mais au-delà, l'accession à un plaisir inconnu. Lire dans son bain. Je n'ai jamais essayé. J'imagine que l'opération nécessite une certaine technique pour ne pas mouiller les pages avec les mains. Pourtant oui, cela doit être délectable. Cette idée d'un confort absolu, l'atmosphère un peu brumeuse de la salle de bains, le corps lové dans la mousse, l'esprit filtrant tout en douceur le fil des mots pour un voyage plus qu'immobile, une sorte de lévitation ouatée.

Je reçois ainsi assez souvent des témoignages de plaisirs minuscules. Ils prennent moins la forme de suggestions d'écriture que celle d'une complicité discrète. Une façon de partager le monde. De partager, pas de confondre. Au demeurant, je n'éprouve jamais l'envie d'écrire sur un sujet ainsi évoqué. Mais je n'ai pas non plus le désir de les goûter. Pour ténu, humble qu'il puisse sembler, le plaisir minuscule est une possession personnelle dont les racines ont bien souvent à voir avec l'intensité des sensations d'enfance. Chaque individu reste une île. Une île courtoise, qui se laisse accoster, mais pas envahir.

Le plaisir des autres est un ailleurs. L'imaginer, en dessiner les frontières sans les franchir est un plaisir en soi, qui me parvient le plus souvent à travers des lettres. Le papier plus ou moins vergé, la forme des caractères, la couleur de l'encre sont indissociables de la réalité évoquée. Au féminin, des macarons au café à l'encre prune, des promenades pieds nus dans les vagues sur fond bleu-gris. Parfois, un petit décalage de vocabulaire au charme étonnant, comme dans cette lettre d'une jeune Suédoise où j'ai trouvé ces mots : « Devant mes yeux, le paysage d'automne est accompli. » Une écriture plus enfantine et plus virile dira en noir et blanc le bonheur de la première cigarette sur les trottoirs, quand la ville dort encore, la jubilation étrange de relire un article sur un match de foot joué trois mois auparavant.

Le plaisir des autres, c'est un peu comme les coins à champignons. On vous désigne approximativement l'endroit, mais il manque la précision qui vous permettrait de gagner d'emblée le cœur de la cible, et c'est très bien ainsi. Les vrais coins à champignons sont ceux qui vous appartiennent en propre. Comment la révélation d'un parfait cèpe de Bordeaux, le pied presque aussi rond que le chapeau, pourrait-elle avoir même pouvoir de contentement, donner même sentiment de possession du monde, si un autre vous l'avait dévoilée? S'asseoir en tailleur tout en haut d'une montagne que l'on a gravie péniblement, faire tinter la gourde métallique pour boire tout le paysage n'a pas grand-chose à voir avec une ascension en téléphérique, suivie d'un spectacle panoramique partagé entre touristes appuyés contre une table d'orientation.

Il ne s'agit pas de refuser le partage, mais de distinguer dans l'alchimie fragile du plaisir la valeur de l'attente et de l'effort. Avec l'âge qui vient, les douleurs de dos, le ras-du-sol devient plus difficile. Je n'envie pas pour autant ceux qui se roulent dans l'herbe des parcs à l'infini. Mais j'imagine un peu le coureur de cinq mille mètres. Juste après la course, il enlève ses chaussures à pointes, foule pieds nus la pelouse, s'assoit quelques minutes, encore essoufflé, la tête renversée. Ah! oui, ces minutes-là, volées au temps après l'obsession du chronomètre, et d'autant plus éternelles qu'elles suivent la chasse aux secondes!

Et puis il y a les plaisirs que l'on pressent, mais qui appartiennent à des domaines tellement étrangers qu'on doit se résoudre aux conjectures. Je devine un peu ce que doit être la liberté du voyage à moto, mais il me manque quelques sensations précises, liées à un détail dans la conduite de l'engin, à des inflexions infimes dans le bruit du moteur, des précisions subtiles dans le rapport au paysage. Même chose pour la solitude en bateau. Je n'attends pas de page lyrique sur le rapport avec le cosmos et l'immensité, mais il doit bien y avoir telle petite lumière à l'intérieur de la coque, la nuit, telle odeur familière synonyme de bien-être. Qui saurait écrire cela me donnerait tout le reste, comme a su si bien le faire Nicolas Bouvier dans ses récits de voyage. Ce qui est en cause dans le plaisir imaginé est d'ailleurs davantage le talent de l'écrivain que l'ampleur de l'aventure — je pense que j'aurais pris le même plaisir si Nicolas Bouvier m'avait décrit sa cage d'escalier.

Une part mauvaise en moi ne saurait évoquer le plaisir de l'autre sans aborder le plus mesquin des plaisirs : celui pris contre l'autre, et comme à ses dépens. Enfant, je me rappelle, à la terrasse d'un café, avoir attendu que tous les membres de ma famille aient terminé leur consommation pour déguster enfin mon diabolo menthe.

Il est cependant un domaine où le plaisir de l'autre compte davantage que le sien. Ce plaisir-là restera toujours un mystère. C'est pour cela qu'on fait l'amour.

Le cauchemar du trois étoiles

Bien sûr, il y a ceux qui ont l'habitude, évoluent dans le restaurant trois étoiles comme s'ils étaient chez eux. Quand le maître d'hôtel recule légèrement leur chaise avec une componction si lente, ils feignent d'ignorer ce regard baissé de prêtre confesseur. Plus tard, lorsque le serveur, quelques pas derrière eux, s'approchera et remplira leur verre, ils continueront de bavarder sans rien manifester.

Les envie-t-on? Ce n'est pas sûr. On est soi-même parfaitement mal à l'aise, épié, prisonnier. Invité par un ami généreux qui a fini par vous convaincre — tu verras, je sais que ce n'est pas ton truc, mais il faut connaître ça au moins une fois dans sa vie —, il va falloir manifester un enthousiasme bien héroïque à simuler. Car on

118

se sent très mal, entouré de prévenances étouffantes. Tout est très bon, mais tellement précieux, sophistiqué. Poursuivre une conversation étrangère à la cuisine semblerait outrecuidant. Mais commenter chaque bouchée est plus difficile encore. Quel ennui de jouer la comédie de l'ineffable — la politesse la plus élémentaire oblige à jouer dans ce registre-là, qu'on ne maîtrise guère! On pense à la duplicité de Mme Verdurin donnant le change sur sa fictive hilarité en posant une main sur sa bouche et en fermant les yeux. Quel simulacre théâtral pourrait distiller avec la même efficacité l'expression de l'extase gastronomique?

Pas facile. On appartient à une de ces familles qui n'allaient presque jamais au restaurant. Chaque fois, sentir ses parents emprunter une attitude gourmée dans une tension palpable, vous faire sentir qu'il fallait être à la hauteur d'un code marqué par le resserrement des bras, la restriction dans l'ouverture de la bouche, une hauteur inaccoutumée dans le port de tête rendant le trajet de la fourchette aléatoire, des tapotements à peine esquissés du coin de la serviette au bord des lèvres, la proscription impérative du pain si naturellement utilisé d'habitude « pour saucer », tout cela était pénible et déroutant, comme s'il fallait tout d'un coup avoir honte de sa caste.

Comme ils avaient raison pourtant! Au trois étoiles aujourd'hui, on leur est tardivement reconnaissant de cette conscience de classe paralysante. C'était pour la bonne cause. Quelle volupté peuvent bien éprouver ceux qui sont partout à l'aise? Ils trouvent tout normal, ne se sentent jamais déplacés? Ils ne sont pas si beaux à voir, ne semblent pas si euphoriques! Le cauchemar du trois étoiles est très utile. Par l'intensité de la gêne, on connaît mieux tout ce qu'on nommera plaisir.

Le rêve du self-service

On a aperçu la terrasse qui domine la plage, dans cette station de Vendée très populaire aux rues piétonnes bondées au mois d'août. On s'est dit : « Tiens, ça a l'air plutôt chic ! », un peu surpris — jusqu'alors, on n'avait vu que des pizzerias, des bistrots moules-frites et quelques crêperies. On a pensé qu'on irait le dernier soir pour fêter la fin du séjour. Un peu résigné à l'avance, on n'espérait pas bénéficier d'une des quatre ou cinq tables situées juste en bordure avec vue sur le grand large, l'île de Ré au loin. On a téléphoné. Ils ne réservaient pas. Alors on est arrivé très tôt, dix-neuf heures à peine. On a grimpé l'escalier extérieur. Personne. Pas un serveur à l'horizon. Pas une table dressée. On s'est installé, demi-ravi, demi-inquiet. Quelqu'un allait arriver, disant que cette table était réservée, et toute la terrasse peut-être. Tant pis, on profite déjà de ces dix minutes buissonnières, face à la mer.

Et puis quand même, ça dure. On se lève. On voit un micro-ondes posé sur une tablette. Un autre escalier, intérieur celui-là, mène au rez-de-chaussée. Stupéfaction : on reconnaît tout le décor d'un self-service, oui, comme si on faisait ses courses chez Ikea ! Les gens commencent à faire la queue, posent leur plateau sur la glissière. Alors, en une fraction de seconde, on conçoit un plan des plus madrés : on remonte à la table face à la mer, dites-moi ce que vous voulez, je prends deux plateaux pour tout le monde ! Tant de précipitation puérile, tant d'impatience — alors, il se la prend, sa paella ! —, de risque inutile encouru en escaladant l'escalier quatre à quatre avec deux plateaux surchargés... tout cela pour réaliser, tout essoufflé, que les tables à vue panoramique ne suscitent guère de bousculade, que la plupart des dîneurs s'installent indifféremment un peu partout. Certains restent même en bas, dans une décoration des plus factices.

On faisait partie de la race de ceux qui trouvent que c'est meilleur quand les autres ne l'ont pas. On va prendre sa carte désormais dans le parti bien plus pervers de ceux qui trouvent que c'est meilleur quand les autres n'en font pas cas. Quel délice, la paella du self-service, quand le sable s'allume au soleil déclinant!

Secouer sa serviette sur la plage

Six heures et demie. La plage commence
à se vider. Un peu soûl de soleil et de vent,
le corps pacifié par la baignade, on a enfilé
un tee-shirt. On se lève. Sans concerta-
tion nécessaire avec le reste de la troupe,
on commence tranquillement le rituel du
départ. Il y aura consentement mutuel, et
sans un mot. Ce sont des journées vides, à
ce moment de l'année où il ne se passe plus
rien dans les villes. On a bronzé idiot et c'est
très bon, avec au fond du sac un bouquin
alibi dont on a lu trois pages. Au début, on
allait à la plage dès que le soleil se montrait,
mais à présent le beau temps s'est installé,
on étire les tâches dérisoires de la matinée,
aller chercher le pain et le journal, tu achè-
teras du Sopalin, on a encore des fruits
jusqu'à demain. On prendra un café à l'angle

de la place, près de la vieille église qui donne à la station balnéaire son authenticité villageoise. On fait la sieste sans remords en début d'après-midi. La plage, on y passe deux heures, trois au maximum, le soleil tape dur, on est déjà assez hâlé, après ce serait une vaine compétition.

Dans cette vie si lente, si délicieusement creuse, un geste est parfaitement satisfaisant. Secouer sa serviette de bain. Beaucoup de gens ont déjà quitté la plage, on ne risque plus d'aveugler ses voisins. Le tissu-éponge est presque sec, juste un peu lourd. On le fait claquer devant soi, plusieurs fois, avec une volupté étrange, qui n'a pas grand-chose à voir avec l'efficacité d'un travail domestique. Dans la volonté de débarrasser la serviette du moindre grain de sable, il y a un peu de cette opiniâtreté gratuite avec laquelle certains nettoient un noyau de pêche de la pointe du couteau. Mais c'est plus que cela. Un minuscule cérémonial de fin, qu'on met en scène sans aucune tristesse — demain on reviendra, l'été a pris cette immobilité répétitive qui dilue les tensions, les attentes. Une espèce de salut au drapeau, aussi. On a marché à petits pas. On est resté longtemps couché sur le sable. On se lève à présent.

Avec un tressautement des bras énergique, on salue le vide engourdissant qui a su vous reprendre cette année encore, avec ses rituels d'éternité modeste. On ne secoue pas sa paresse. On la déploie.

Le pompier new-yorkais est mort. On n'a pas retrouvé son corps dans les décombres du World Trade Center. Sa femme dit que c'est mieux ainsi. Elle parle à la télévision, sans larmes, d'une voix étonnamment ferme, qui tient la pitié à distance. Oui, il est parti comme ça, la mort est toujours une abstraction, qu'est-ce que ça lui aurait apporté de revoir le corps de son mari mutilé? Et puis il est peut-être un peu plus présent dans cette absence silencieuse, parfaite. La femme parle devant une caméra de la NBC. On la voit ensuite pénétrer dans une caserne de pompiers, où des hommes et des femmes l'étreignent pudiquement, pas vraiment des embrassades, plutôt une crispation de la main sur son bras, une tape légère dans le dos. On entend sa voix off enregistrée. La femme du pompier dit : « De toute façon, en quinze ans avec lui j'ai connu davantage de bons moments que la plupart des êtres humains n'en connaîtront dans une vie. »

On ne sait pas ce qu'il y a de plus étonnant dans cette phrase. La quasi-certitude qu'elle ne connaîtra plus le bonheur désormais — visiblement, l'expression « faire son deuil » qu'on entend si souvent dans ces cas-là, obscène et clinique, n'est pas pour elle : son deuil est déjà là ; il est venu à la seconde, pour la vie. Mais peut-être plus encore cette pensée qu'elle a pour toutes les bonnes choses, comme si elle allait mettre une forme de devoir à les faire revivre une à une, comme si le bon passé ne pouvait lui faire du mal. Comme si le bon était gagné pour toujours.

Les Toulousaines

Des maisons. On les appelle ainsi. Des Toulousaines. On en trouve dans la ville du Capitole évidemment, mais aussi beaucoup à Montauban, à Castelsarrasin, et dans tous les villages jusqu'à Moissac. Elles ont cette brique rose orangé, plus rose le matin, plus orange le soir. Les volets hauts sont peints en gris pâle le plus souvent, ou en vert très léger. Maisons à deux étages, avec grenier. Austères en plein hiver, quand un brouillard cendré monte de la Garonne ou du Tarn. Faites pour la chaleur, continentale et lourde. Gardeuses de fraîcheur en plein été, dès le clisquet de la porte retombé. Une entrée sombre si vaste, un sol carrelé à l'ancienne. Au bout, une porte-fenêtre aux quatre carreaux de couleur ouvre sur une cour ou un jardin. Un escalier si large — on ne manquait pas de place.

Volets tirés, souvent, mystère préservé. Ce sont des protestantes, conçues pour le silence et le retrait. Les noms qui reviennent le plus souvent sur les plaques, à droite du heurtoir, sont à faire chanter à l'occitane, mais dans un registre feutré. Delvolves, Delbouys, Sarremejanes. Maisons bourgeoises dans leur principe, conçues pour la respectabilité. Mais vivantes, parce qu'en dépit de leur sévérité de lignes et de structures elles révèlent une sensualité. Les volets gris n'y peuvent rien, c'est cette brique rose orangé qui trahit. Elle voudrait tenir la chaleur à distance, mais elle est chaleur aussi, chaleur qui joue en camaïeu avec le soleil entêtant.

Féminines, les Toulousaines. On y voit des vieilles dames en robe-tablier qui ferment les persiennes un peu trop tôt avant la nuit. Mais la brique rose orangé invente aussi celle qu'on verra moins, la jeune femme du docteur, distante et si bronzée. On aura deviné les dessous noirs et chics, on se sera trompé peut-être. Elles sont faites pour ça aussi. Le trouble reste, il fait encore si chaud. Les Toulousaines.

Pages d'émois

Impossible de garantir une précision chro-
nologique des émois érotiques. Je pense
quand même qu'au tout début il y eut
Mickey à travers les siècles. Oui oui, cette page
dans les noirs, les blancs, les gris, les orangés,
dans le *Journal de Mickey.* Cette histoire
abondamment récurrente, dans laquelle les
atmosphères tiraient toute leur intensité de
leur fragilité, puisqu'il suffisait que Mickey
prenne un coup sur la tête pour basculer
dans une autre époque, évitant parfois un
danger imminent, mais renonçant souvent à
un univers des plus tentants. Il en était ainsi
de sa rencontre avec Cléopâtre. Dans mon
souvenir, la reine d'Égypte lui réservait un
accueil réfrigérant, mais justement, c'est là
que commençait l'érotisme. Une femme très
belle, brune, élancée, pour le moins hiéra-

tique dans ses attitudes, infiniment méprisante. Dans un décor luxuriant de plantes exotiques et de coussins voluptueux, il était question de boissons vénéneuses et de morts foudroyantes. À coups de phrases lapidaires, Cléopâtre distillait le seul pouvoir de la méchanceté. Tétanisé, le bondissant Mickey ne bougeait plus, parlait à peine, mais je sentais bien qu'il n'avait aucune envie de prendre un coup sur la tête. Moi aussi je restais là, devant la page, curieusement ravi de me sentir si gauche et dérisoire. Une jouissance terrifiante m'imposait cette évidence : le désir et la beauté naissaient avec la cruauté. Une telle révélation valait bien la fascination d'un arrêt sur image. Et puis, rien de rédhibitoire dans tout cela. Je saurais bien tourner la page, et me rassurer avec Donald et Géo Trouvetou.

Cléopâtre n'était pas l'objet d'une quête. Elle imposait tout à coup autre chose, un délicieux malaise au cœur d'un univers que tout semblait vouer à la prévisibilité. D'une autre essence furent mes rencontres avec les pages bistre et glacées du Larousse en dix volumes. À sept, huit ans, les raisons objectives de plonger dans ce mausolée du savoir, relié de vert sombre et de marron triste, étaient plutôt ténues. Ce que j'avais à vérifier échappait sensiblement à l'inquiétude orthographique : savoir pourquoi les pages consacrées à l'art se manifestaient sous la forme dominante de la nudité féminine. Je suis injuste. Il y avait sûrement ce qu'il fallait de sacres d'empereur et de Laocoon étouffé par les serpents. Mais quand même. Le nu dix-huitième et dix-neuvième dominait, sous une forme figurative qui convenait à mon attente. Ingres y tenait une place de choix, avec ses Orientales douces comme des poires, lovées dans des postures de paresse et d'abandon qui allaient à l'encontre de toutes les morales qu'on me prodiguait par ailleurs. La nudité intégrale était réservée à des lieux si improbables qu'ils en devenaient allégoriques, le harem, l'enfer, le paradis. Mais d'autres reproductions raffinaient dans la suggestion à coup de voiles vaporeux dans des boudoirs, de minces bretelles tombant sur une épaule et la naissance d'un sein au recoin d'un sofa — constructions en abyme : les désirs étaient dans les livres, et les livres dans le désir. L'amie de Chateaubriand ne savait pas quelle place elle prendrait dans l'éveil sensuel des petits garçons. Avec la complicité de Monsieur

Larousse, elle jetait pourtant les bases persistantes d'une récamiérisation de l'érotisme.

Il n'était pas toujours besoin d'images. Les mots, échappés par bribes de livres auxquels je ne comprenais à peu près rien, suffisaient quelquefois à la cristallisation d'une soif d'autant plus redoutable qu'elle restait suspendue dans les déserts de l'imagination. Il en était ainsi dans cette petite collection grenat, titres dorés, dont les volumes rangés dans le cosy-corner de mon frère aîné me semblaient beaucoup moins beaux que ceux de la Bibliothèque Verte, mais très équivoques dans leur apparente austérité : *Arènes sanglantes, Un amour de Swann...* Un passage de *Sarn,* de Mary Webb, évoquait une scène assez effrayante. Une femme défigurée mais au corps magnifique s'offrait, le visage caché, aux regards de la populace au fond d'une auberge. Le passage était d'autant plus saisissant que je ne maîtrisais rien du contexte, ne parvenant pas par ailleurs à pénétrer dans la psychologie du roman.

La Rôtisserie de la reine Pédauque, d'Anatole France, était plus perméable et moins rugueux. Au seul rythme du récit, je pressentais cet humanisme bonhomme, déjà bien désuet dans les années cinquante, où le plaisir physique était toujours lié à un nombre considérable de bouteilles vidées et de propos philosophiques échangés par les convives. Une phrase énigmatique ne m'en était pas moins restée, et la surprise de la connaître encore par cœur aujourd'hui : « Nous connûmes cette nuit-là des plaisirs qui, par leur intensité, confinaient à la douleur. »

Très peu de choc frontal, beaucoup d'étouffement et beaucoup de caché. Du défendu partout, qui vous nouait la gorge en mystère, en silence. La piste mystérieuse du plaisir.

Silence et trouble

C'est le même enjeu, la même tension. Ça joue avec nos nerfs de la même façon. Menacés par l'ourlet, par le caché, par le montré, mais par le suggéré surtout, on est sous dépendance. Penauds et si contents de l'être. Ça nous fait de l'effet. Elles savent exactement comment, jusqu'où, jusqu'où ne pas.

Une poitrine encorbellée dans une robe châtelaine ou paysanne, une cheville révélée à la descente d'une diligence, l'épaule découverte de Mme Récamier. Cela ne date pas d'hier. Dans mon adolescence, ça se passait beaucoup au niveau de la jambe, minijupes serrées. L'effraction d'une portière de voiture qui s'ouvre, le pied se pose sur le sol, le compas se déploie quelques secondes à peine. Entre assise et debout, elles avaient déjà le temps de jouer le scénario d'une impavidité faussement outragée par des esquisses de demi-coup d'œil — le regard appuyé du voyeur bovidé c'est autre chose, ça n'a jamais fait partie de la mise en scène, c'est hors jeu, c'est sans gêne.

Car il faut de la gêne, de l'informulé, de l'imaginaire bridé. Tout est dans les regards qui se savent et ne se croisent pas. Avec les ans, ça se déplace. La jambe par le bas laisse sa place aux hanches par le haut. Règne du pantalon bien sûr, règne parisien du Velib' et partout de la bicyclette. Tee-shirt un peu trop court, jean taille un peu trop basse, infime déhanché dans la fonctionnalité du geste. À l'avant, c'est le nombril qui joue les stars. Entraperçu. Celui qui s'offre trop d'emblée n'a guère d'intérêt.

Toujours, l'émoi suscité est inversement proportionnel à la surface dénudée. Le caraco s'impose aussi, et les bretelles minces. Un abîme de différence entre celle qui tombe et celle qu'on a laissée tomber. Parfois, la suggestion est plus forte encore de ne rien découvrir, jupe très courte sur un jean, ou surchaussettes sur collant.

Toute cette électricité statique sur les trottoirs, dans les rues, par les places. Cela pourrait sembler trivial, et c'est le comble du sophistiqué. Elles passent, rassurées de nous sentir fébriles. Et jamais rien ne sera dit du secret consenti bien avant la frontière du désir. Silence et trouble. Bien joué.

Les bourgeois depuis toujours, les bobos plus récemment aiment dire : « C'est le meilleur! » C'est là qu'on mange les meilleures pâtes, c'est là qu'on trouve les meilleurs macarons. C'est le meilleur chocolatier de Paris. Meilleur... C'est presque le contraire de bon. Meilleur, cela induit l'idée d'une compétition rude, où le plaisir de faire et celui de déguster se trouveraient engagés dans le même esprit de lutte.

Pour ce qui est de faire, on en a tant vu, dans des reportages télévisés, de ces chefs cuisiniers exaltant le vrai bonheur des vraies choses, flânant sur le marché en humant les cèpes ou les melons avec une convaincante sensualité, avant de revenir en cuisine où ils filent la métaphore du travail-amour. Tout cela pour être malades de stress dans l'espoir ou la crainte d'une étoile enlevée, ajoutée, préservée, dans une attente qui ne doit plus rien au bucolique.

Pour ce qui est de consommer, cela devrait être bien différent. Il ne s'agit après tout que de goûter le fruit du travail des autres. Mais, curieusement, le plaisir d'affirmer qu'on connaît le meilleur relève lui aussi d'une espèce de violence sociale qui semble aux antipodes de l'idée de plaisir. On se heurte de moins en moins pour des questions politiques — tous des pourris — mais on va batailler furieusement à propos du chocolat d'Angelina.

— Le plus onctueux, le plus parfumé, d'ailleurs, tu as vu la queue le dimanche après-midi ?

— Ah ! non, beaucoup trop sucré, presque écœurant !

On est quand même d'accord sur l'idée qu'il faut mettre le prix, la qualité ça se paie, mais c'est tellement vulgaire qu'on n'en parlera pas, même si l'on sent bien que dans tous les domaines allant du gastronomique au textile la hauteur de la somme dépensée rassure et tient lieu de compétence. La bourgeoisie ne se sent bien que dans le rapport de force. En peinture même, elle veut faire les grands maîtres et les petits. Elle règne sans partage quant au classement des pâtissiers, des confiseurs et des traiteurs. Où est passé le *bon* dans ce besoin de hiérarchie ? Le meilleur, c'est le plus cher.

Terre à terre

Ignorer la chaise, le fauteuil de jardin, et même la chaise longue. S'asseoir par terre, sur l'herbe, en tailleur. Cueillir machinalement des brins d'herbe devant soi et les éparpiller au vent un à un. Écouter. Se laisser porter par la conversation, y prêter attention comme pour se construire l'alibi de cette posture fouilleuse de mémoire, les épaules un peu arrondies. On ne s'asseyait pas autrement à la fac, juste à côté des tours de béton morne : un petit carré près de la piste d'athlétisme et l'on parlait d'idées, de refaire le monde — mais l'essentiel était déjà dans ce lancer d'herbe et la presque fraîcheur sous les fesses, non ce n'est pas mouillé, juste un peu doux.

Parfois on s'allonge sur le dos, bras coussins sous la nuque, jambes croisées. Des nuages défilent, on ferme les yeux sous le soleil, on boit de tout son corps la souplesse de la terre faussement immobile, vibrant d'une onde immense, à peine perceptible en raison même de son ampleur. Quand le décroisement de pieds, le lever de paupières, le hum? interrogateur deviennent les seuls exploits athlétiques envisageables, quand l'heure s'élargit, commence à fondre, quand on est comme à la plage sans être à la plage, quand on est comme à la sieste mais dehors, sans la moindre envie de dormir. Quand on pèse de tout son poids mais qu'on s'envole en même temps, brin d'herbe. Et même plus besoin de mots.

Dans la poussière dorée

Difficile de définir le vert des chaises et des fauteuils, au jardin du Luxembourg. Un vert de lait menthe assez peu mentholé, à peine acidulé ? Les fauteuils sont si épanouis, si larges, le dossier penché en arrière. Malgré la structure métallique, ils promettent un farniente prolongé, une sieste peut-être. Au cœur du mois d'août, pas si facile d'en trouver un libre. Chaque siège occupé révèle une attitude différente, et un même désir d'occuper pour longtemps le territoire.

Il y a les affalés du plein soleil, les pieds sur le bord du bassin, le visage renversé en arrière. Mais on veut l'ombre. Pas celle de la fontaine Médicis — l'allée est mystérieuse à souhait, mais ce n'est plus tout à fait le Luxembourg. Pas très loin du kiosque, pas très loin du petit chalet où l'on vend des

144

jouets, des friandises. Il faut que le Luxembourg soit proche d'un rituel ancien — le parc où jouait Jean-Paul Sartre dans *Les Mots*. Pas très loin des statues si blanches des reines de France. C'est bon de s'installer là dans le contre-jour : en plein milieu d'après-midi, la lumière, la poussière ont des reflets de tisane orangée. Ailleurs on se croirait dans un bouillon de crépuscule. Les baisers des amoureux, les rires des enfants se diluent dans un autre temps, se perdent sous le vert profond, le vert grand siècle des marronniers, mais la chaleur ne pèse plus que par le poids des ans.

Il faut choisir une lecture pour fauteuil du Luxembourg. Pas de polar, pas de livre haletant d'aventures. Une lecture que l'on puisse abandonner par plages, pour regarder très vague devant soi, les yeux mi-clos, en savourant le privilège d'être là. Les torses nus là-bas, en plein soleil, les pieds nus sur le froid des chaises, des fauteuils, s'inscrivent sans donner le ton. Tout est tellement civilisé.

Un livre idéal pour le Luxembourg au mois d'août, c'est *L'Inconnu sur la terre,* de Le Clézio. Des pages libres et détachées qui parlent de nuages, de vraies oranges et de temps arrêté. À l'ombre épaisse du Luxembourg, le corps penché en arrière, c'est comme dans le bouquin de Le Clézio. Le temps ne passe pas, personne n'a rien à faire. On se laisse dériver dans la pluie sèche de poussière dorée. Très tard, très loin, il y aura les coups de sifflet tranquilles des gardiens, une petite sévérité discrète pour vous sortir de la torpeur. Au-delà des grilles on va changer de corps et retrouver le pas, le rythme de la ville.

Coton global

Fumer la pipe, c'est séduire. Pour soi, la pipe ne sent pas grand-chose. Mais pour les autres... Amsterdamer ou Clan, peu importe le nom, mais une blondeur vient de la Hollande en ciré ruisselant. Matois, on crée l'atmosphère, avec des gestes pacifiants. Les rites semblent aller d'eux-mêmes, et révéler d'autant plus la personnalité du célébrant que celui-ci officie distraitement, avec une précision mécanique et molle. On continue à suivre la conversation tout en ouvrant le paquet de tabac — tout doucement : le bout de scotch bordé de rouge glisse sur l'emballage plastifié sans l'abîmer. Bourrage méticuleux du fourneau, petits pops de la bouche poissonneuse pour amorcer la combustion.

On incarne soudain la sagesse, la chaleur. On est celui qui peut donner une sécurité d'épaule, et les maniaques de la cigarette-stress en prennent pour leur grade. Sans dire un mot, on donne la couleur du soir. Avec l'air de ne pas y toucher, on se cale dans le fauteuil, jambes croisées. La fumée se répand dans la pièce en nuages indécis — rien à voir avec les volutes de la cigarette. C'est une espèce de coton global où chacun flotte, et les paroles se raréfient. Il y aura peut-être quelqu'un pour dire : « Ça sent bon ! »

Là, c'est presque gênant : on fume telle-ment pour entendre ça que l'on se sent percé à jour. On tend le paquet de tabac avec un air presque d'excuse — ce n'est que du Player's Navy Cut, je n'y suis pour rien.

C'est bien mieux quand personne ne dit rien. On reste alors dans l'équivoque et, après tout, ce talent d'Angleterre où dorment toutes les fumées des pubs à bière doit bien venir un peu de vous. C'est bon, cet égoïsme généreux qui sent la figue mûre. On a moins de plaisir que de pouvoir : fumer la pipe, c'est séduire.

Égoïste

On fume le cigarillo pour soi. L'entourage trouve l'odeur infecte, et l'on pense de même quand quelqu'un fume le cigare ou le cigarillo devant soi. C'est assez étrange. Pourquoi cette odeur est-elle bonne pour le fumeur? Bien sûr, comme pour la pipe, il y a aussi une part d'imaginaire, aux connotations inverses, tournée vers le sud : amertume tropicale, cubaine, persistance de la forme de la feuille. On voit des champs de tabac sous un ciel d'orage, des silhouettes féminines enjuponnées, peaux mates, moiteurs sombres. L'odeur du cigarillo fumé confirme ces images et leur donne consistance; c'est le contraire de la pipe, dont la combustion éloigne le fumeur des saveurs premières éprouvées en ouvrant le paquet, en remplissant le fourneau.

Le choix de la boîte est très important — ainsi, l'étui métallique des Café
crème qui multiplie le plaisir du tabac par
celui de l'idée du café, de l'idée du moment
du café — mais c'est une boîte qui reste au
fond de la poche, qu'on n'affiche pas. En
fumant le cigarillo, on ne peut s'empêcher
de penser que c'est bon pour soi parce que
c'est mauvais pour les autres.

Une cousine éloignée qui venait parfois passer quelques jours à la maison. Elle était belle, deux ou trois ans de plus que moi. Très brune, avec des yeux clairs, les cheveux longs. Des tenues audacieuses pour l'époque. Je me rappelle un séjour d'été où elle portait un jean avec en haut un maillot de bain très échancré dans le dos. Nous faisions quelquefois l'après-midi une balade à bicyclette, ensemble dans la chaleur du pays de Garonne. Quelques phrases assurées de sa part, une voix basse bien posée, légèrement nasale, quelques bredouillements troublés de la mienne. Beaucoup de silence.

Volubile au contraire le matin avec le reste de la famille, elle s'étirait langoureusement — non : elle donnait l'impression qu'elle s'étirait langoureusement — et disait en tenant le bol à deux mains : « J'adore le lait chaud le matin. » Je me sentais toujours balourd en face d'elle, mais l'aveu félin de son plaisir me pétrifiait dans un sentiment de médiocrité rédhibitoire, et plongeait je crois tous les miens, à des degrés divers, dans une gêne palpable. Ceux qui buvaient du café noir ne pouvaient opiner qu'avec une absence de conviction polie. Quant à moi, je trouvais mon thé au lait d'une fadeur soudain révélée — la fadeur de ma petite personne, incapable de manifester en majesté sensuelle l'opportunité d'un choix pourtant délibéré.

D'une façon spectaculaire, ma cousine incarnait à la fois la supériorité et l'incongruité d'un langage et d'une gestuelle capables d'évoquer l'intensité du plaisir au cœur d'un rite social où toutes les sensations positives doivent être exprimées a minima — les enfants seuls étant dispensés de cette réserve, peut-être parce qu'on trouve normal qu'ils sentent les choses plus fort, ou plus sûrement parce qu'on leur pardonne de ne pas encore adopter le code de la réserve. En quoi ce code est-il justifié ? Mais surtout, en quoi l'interdiction tacite d'abuser dans l'expression du plaisir modifie-t-elle l'intensité du plaisir ? On trouverait assez comique de voir quelqu'un déguster son café avec des râles d'extase. Mais, pour autant, est-il normal de dire toujours « c'est bon » avec un détachement objectif d'expert-comptable devant un bilan économique, « c'est délicieux » avec un enjouement autorisé seulement par le rôle de l'invité célébrant le plat qu'on lui sert — de préférence au moment où il est complètement pris par une discussion très peu gastronomique, mais sent se déclencher en lui la sonnerie d'une pendule intérieure qui lui fait dire « c'est délicieux » sur un ton d'autant plus enthousiaste que ces mots sont prononcés en courant, sans rien lâcher du commentaire sur l'exposition Toulouse-Lautrec.

Et que dire de ceux qui ne disent jamais « c'est bon » ? Sont-ils prisonniers, ou pervers ? Éprouvent-ils le plaisir plus fort en cotisant à la caisse d'épargne de son expression ? Et puis, choisit-on de faire ou non partie des humains qui savent dire « c'est bon » ?

Bien sûr, elle surjouait un peu. Bien sûr elle savait qu'elle était belle. Bien sûr, elle savait qu'elle nous mettait mal à l'aise.

Quand même, c'était bien de voir ma cousine secouer ses cheveux longs, attendre le silence et poser sa voix grave : « J'adore le lait chaud le matin. »

Dimanche matin

Le dimanche matin, la vie est neuve.
C'est écrit quelque part, dans la chaleur
du lit, la lenteur du café — les mains autour
du bol, on peut rester longtemps dans la
fumée, comme si rien n'allait commencer.
Le dimanche c'est une idée, qui rend léger
tout ce qu'elle touche. On peut choisir le
jean ou le velours, le pull d'Irlande ou le
jacquard : ils prendront quelque chose de
dominical, un impalpable apprêt, une fraîcheur étrange et familière.

Dehors. Il faut aller dehors; sentir qu'au
creux des maisons, des immeubles, un
sommeil abusif retient les autres prisonniers. Ils perdent en grasse matinée tout ce
qu'on gagne à flâner libre, sur la marge du
trottoir.

Il est près de neuf heures, et l'on se sent

155

pourtant si matinal. Sur le marché, les vendeurs encore désœuvrés se tapent dans les mains pour se réchauffer. Engoncés dans des pull-overs superposés, ils ont la joue vermeille, l'haleine ennuagée. À tour de rôle ils vont au bar du coin se prendre un petit noir.

On déambule au hasard des étals. Est-ce que l'on fait vraiment les courses ? Un peu, par alibi. Il faut un rôle à jouer. En même temps, tout est gratuit et suspendu, savoureux, inutile. C'est tout à fait idiot, mais on se sent un peu meilleur, pourquoi ? Cela flotte dans l'air jusqu'au journal que l'on achète. Il parle toujours des impôts, du championnat de France de football, des top models — mais avec un je-ne-sais-quoi d'alangui, de rassurant et de conquis.

Une brioche pour le thé, un gigot, des fleurs coupées, une bouteille de mâcon, après beaucoup d'hésitation : on achète des munitions, et chaque rite est comme un point d'ancrage — des pilotis pour mesurer la mer étale. Sans effort, on fait swinguer en soi la France de Trenet qui veut troquer tous les samedis soir usagés « contr' un dimanch' matin plein d'entrain ». Les gens vont au marché, ou bien au PMU, ou bien courir en jetant un coup d'œil à ceux qui s'en vont au marché, au PMU.

Plus tard, des parfums lourds monteront des cuisines. Mais c'est avant, quand on ne sait plus bien quelle heure il est, dans un bien-être clair comme une cour d'école. Le dimanche matin.

Naples-Oberkampf

Un restaurant italien qui fait une formule à onze euros à midi, rue Oberkampf. On y sert des pâtes fraîches. La machine à pâtes est installée de manière un peu ostentatoire au long du comptoir. Mais le plus étonnant, c'est peut-être le pain. Si vous en demandez c'est toujours long, parce qu'ils le font cuire dans un four et vous l'apportent fumant sur la table. On n'a jamais très bien compris le fonctionnement exact de la maison. Une fois, il y a eu une femme d'une quarantaine d'années qui faisait l'accueil et le service, d'autres fois un homme qui pouvait être son mari. Mais le plus souvent, c'est un jeune Italien dégingandé, cheveux noirs longs et frisés, qui parle à peine quelques mots de français. Il fait à la fois la cuisine et le service, sanglé dans un grand tablier blanc. Il n'y a jamais plus de sept ou huit clients dans la petite salle.

Ce jour-là, un autre garçon italien aussi mince mais vêtu de noir l'aide au service. Il est timide, mais parle mieux le français que le cuisinier. La demande de pain a été très longue à satisfaire. Il a fini par apporter deux pains longs très étroits, croustillants, délicieux, avec des excuses pour le retard. Un peu plus tard, on lui dit combien le pain est bon. Alors il quitte tout à coup son empressement inquiet, donne le nom des pains — strompini, strombini? On pense qu'on s'en souviendra, mais on oublie. Il dit qu'il est napolitain, que c'est une spécialité de sa région, que là-bas on le mange... Il fait un geste évasif, s'interrompt, repart dans la cuisine et revient avec deux strompinis incisés, dans lesquels il a fourré des anchois : voilà comment on les mange à Naples. On ne sait pas ce qui est le meilleur, le pain chaud aux anchois, ou l'initiative du garçon qui change tout le code. Il reprend le cours des choses, on n'ira pas plus loin. Pas à Naples, mais rue Oberkampf, un jour de semaine, il pleut. On ne reverra plus le garçon italien.

On dit de quelqu'un qu'il est mort pour la liberté. La formule est ronflante, mais ne suscite pas beaucoup d'émoi. Si l'on précise qu'il adorait les harengs pommes à l'huile et jouer au foot avec son fils sur le petit terrain communal, à côté de l'école, on commence à savoir ce que signifie mourir pour la liberté. C'est cela qui manque aux politiques. Quand ils disent dans une émission qu'ils aiment les harengs pommes à l'huile, c'est avec un sourire guindé. Oui, je veux bien répondre à votre question, mais soyons clairs : j'abandonne du coup toute idée de sérieux pour vous livrer un détail prosaïque qui n'est pas à dédaigner — mon conseiller en communication m'a dit que cela pourrait me faire gagner des points — mais c'est quand même complètement à côté du grand sujet, du vrai sujet.

Mais ceux qui sont morts restent d'ici. Ils ne souhaitent pas brûler tout seuls comme une cire pure. Je crois qu'ils s'apaisent seulement quand nous jouons au foot avec un enfant, quand nous pensons à eux dans la chair de la vie, dans le croquant des ronds de carotte et la fraîcheur légèrement confite des morceaux d'oignons. La mort les éloigne sans recours quand nous ne les invitons plus à manger des harengs pommes à l'huile.

Pépites du métro

Il ne s'agit pas d'espionner les voisins. Au bout de quelques jours, leurs pratiques régulières perdent de leur intérêt. Non, ce qui est bon, c'est l'atmosphère happée en levant les yeux, quand on marche sur un trottoir dans la ville, ou, mieux encore, si fugace, le tableau entraperçu depuis le métro aérien, à hauteur des étages supérieurs. Les lampes basses font toujours envie, inventent une intimité parfaite. En deux secondes, on voit s'esquisser une silhouette, une autre, mais les êtres qui naissent de cette lumière ne peuvent avoir qu'une vie sereine — une vie de lampe basse, chaude et maîtrisée, si proche et si lointaine du halètement métallique des wagons. Les gens qui habitent là ne regardent pas par la fenêtre. Ils sont à l'intérieur, avec des livres souvent, des murs entiers de bibliothèques, un ailleurs absolu puisqu'on ne distingue rien des titres. Les moulures sont bonnes aussi. Quelque chose du dix-neuvième flotte sur aujourd'hui, l'emprise d'une succession de générations protectrice.

On voit des tableaux, quelquefois leur sujet, leur facture, mais plus souvent flotte seulement l'idée d'avoir chez soi des tableaux, des fragments de temps arrêté saisis dans un cadre. Très peu de téléviseurs allumés. Les gens qui vivent là ne souhaitent pas rester au diapason. Leur présent n'est pas celui de la foule inquiète. Ils se ménagent tard des moments bien à eux, avec un verre de bordeaux, une déambulation au ralenti, pieds nus peut-être.

On est riche en passant d'une perfection sans doute illusoire — on le sait bien, les hommes n'ont pas une vie de lampe basse, même s'ils dessinent au ralenti des ombres longues sur des murs de livres et de tableaux. Mais c'est très doux, ces carrés d'ombre découpés dans la nuit bleue d'hiver. Frôler tous ces climats, c'est peut-être les posséder davantage que leurs propriétaires. On se dit ça, en retrouvant le vent glacé des courants d'air à la sortie de la station.

Avec son petit matos

A priori, c'est une idée baroque. Un concept, comme diraient les publicitaires. Antoine de Maximy part seul sur les routes, avec un matériel plutôt hétéroclite, une caméra installée dans une espèce de harnais sur l'épaule. Il filme, enregistre les voix. Il rencontre. Des gens qu'il ne connaît pas, dans des pays étrangers. Dans le genre, *J'irai dormir à Hollywood* est un petit bijou. Toute une traversée des États-Unis avec une voiture-corbillard repeinte en rouge qui ne passe pas inaperçue.

Mais le sens de l'aventure est ailleurs, dans les aléas des rencontres. Antoine de Maximy promène partout un air un peu distant de Kerouac aristocrate. Il pousse loin l'insolence du dialogue, avec une fausse hésitation, en retrait, plus efficace que l'excès familier des bonimenteurs de foire. On voit les portes s'entrouvrir. Plusieurs fois, on l'invite à passer la nuit. Pas à coucher bien sûr, mais à dormir. Ça ne marche pas toujours, et l'on suppose que bien des échecs n'ont pas été retenus au montage. Le plus surprenant est que cela marche quelquefois. Derrière l'aspect gaguesque de l'entreprise se révèle une formidable appréhension de la nature humaine.

La rencontre avec une famille d'amish est terrible. Ils sont là, parents, enfants, debout, souriant avec une ineffable douceur. Mais seul le père prend la parole, et derrière sa longue barbe frisée la courtoisie devient en quelques mots le masque pratique d'une fermeture absolue. Refus complet de tout contact. Défense de partager quoi que ce soit. Une civilité si cadenassée qu'elle devient étrange, reflète une méfiance, un pessimisme angoissants.

Tout à l'opposé, une famille de Navajo parquée dans un no man's land spartiate — on leur a juste laissé la possibilité de survivre et de s'éteindre. La mère est réticente à l'accueillir, mais la fille d'une générosité incroyable. Antoine finit par passer la nuit chez eux. Le lendemain, le frère vient trouver le cinéaste, et lui déclare qu'il faut partir, avec conviction, mais un embarras troublant : on vous trouve sympathique, mais cette voiture, cette façon d'être, c'est un peu une insulte à notre mode de vie. Cela ne peut se prolonger. C'est dit avec une fermeté si sensible. Le regard de la sœur est empli d'une profonde tristesse. Une impossibilité d'aller plus loin liée à la tyrannie des ghettos sociaux, mais tant d'humanité blessée en dessous. Les policiers américains n'aiment pas le personnage d'Antoine de Maximy. Il demande une autorisation pourtant purement formelle à l'un d'eux, finit par lui faire avouer qu'il préfère le voir disparaître.

On sourit, on est gêné, et puis ému. L'attitude de refus est la plus récurrente, mais on retient surtout les ouvertures, qui laissent s'envoler des étincelles de braise. Si elle existe quelquefois, en dépit de tous les carcans, de tous les préjugés, c'est que la lave est là, la chaleur humaine. Antoine de Maximy perce des trous magiques dans la croûte terrestre avec son petit matos foutraque.

Je veux redoubler

Septembre. Le mot est beau, avec sa longue traîne de sous-bois. Il a l'idée d'automne et la chaleur d'été. Il s'agit toujours de précipiter le cours des choses avant qu'elles ne vous devancent. Le 22 août, ou le 23, on décrète sa rentrée mentale. On n'a plus de sac de classe, de boîte de crayons de couleur à acheter, de piles de bouquins à vendre au réfectoire du lycée. Mais il y a tout cela quand même dans l'idée de reprise. Une soumission scolaire qui ne doit plus rien à la peur, au désir d'avoir tel ou tel prof, mais c'est comme si on allait se faire la classe soi-même, retrouver le rail obligatoire de sa vie comme on subissait les découvertes de l'emploi du temps, avec la craie qui crisse sur le tableau vert — on fait semblant de grincer des dents, mais que serait le temps, sans ce quadrillage?

On se dit que beaucoup plus tard on partira voyager en septembre. Oui, le soir tombe un peu tôt, mais les nuits sont fraîches, et il y a tellement moins de monde. On n'ajoutera pas que le charme de septembre viendra aussi d'un rythme familier frôlé çà et là — tiens, ça doit être la sortie des écoles — et, sur la place, les jeux des enfants auront cette fièvre des premiers jours de classe, le goûter pris en courant, pour les devoirs ils ont encore le temps. Toute la vie garde l'empreinte de ce temps scolaire qu'on a tant fait semblant de bouder, mais dont chaque contrainte a créé pour toujours chaque désir de liberté. Tout à la fin, on est comme le roi de Ionesco, on dit : je veux redoubler.

Un champ de canne à sucre

Un *Atlas du XXᵉ siècle*. Fernand Nathan. Paris. Aucune date d'impression, mais il a un petit air 1950. La couverture cartonnée vert pâle est passablement défraîchie, la tranche en tissu effilochée. On l'ouvre et l'on découvre à l'intérieur une alternance de pages de photos noir et blanc et de cartes géographiques en couleurs. Presque toutes les pages sont doubles, dépliables. Les photos précèdent les cartes, ou leur succèdent, ce qui n'est pas innocent dans l'imaginaire suscité. En quoi ces vignettes paisiblement symétriques — une dizaine de clichés rectangulaires par page, en général, avec parfois une photo plus grande — résonnent-elles avec les contours tourmentés des dessins polychromes, en quoi les annoncent-elles, ou les confirment-elles? Cette continuité discursive, où il ne s'agit pas seulement de tourner les pages mais de les déployer, donnant ainsi à la contemplation une dynamique inhabituelle, suscite un sentiment de vertige. Est-on maître du monde, ou bien est-ce le monde qui vous tient?

La carte de l'Europe politique est un fouillis redoutable. La Suède, la France et l'Algérie se répondent dans le même mauve pâle. L'Autriche et l'Angleterre entretiennent un dialogue similaire dans une tonalité rose fané. Mais bien sûr c'est la tache vert éteint de l'URSS qui domine, d'autant plus obsédante qu'elle est devenue obsolète. On distingue les noms qui donneraient droit aujourd'hui à un traitement chromatique bigarré : la Lettonie, la Lituanie, l'Ukraine ont encore le vert Moscou. De grandes lignes bleues symbolisent les lignes aériennes, dont la rectitude contraste avec le tremblé des cours d'eau. Page tournée, les photos illustrant cette Europe foisonnante n'entretiennent quant à elles aucune liaison logique. Svalbard, chasse à la baleine — Marché aux bestiaux à Groningue — Flottage du bois sur le Ljusnan (Suède) — Champs pétrolifères à Moreni (Roumanie) — Un alpage dans les Alpes bernoises au col de la Gemmi — Le port de Gênes.

Le monde est beau, dans l'atlas Fernand Nathan. Il est si finement tarabiscoté, complexe, dentelé sur les cartes. Mais les clichés contigus décantent cette complexité : elle devient virtuelle, et d'une inutile abstraction. Dès que l'on veut donner chair à ce magma convulsif, on gagne un tout autre infini, parfaitement serein et immobile. On peut s'abîmer dans les bassins du port de Gênes, les hauts-fourneaux de Nouméa, une rue de Johannesburg. La vraie vie, c'est le détail, le petit rectangle. La volonté de saisir le tout est loin d'être inutile cependant. Elle donne son sens à la dégustation du champ de canne à sucre dans le Queensland. Un atome du monde est bien le monde entier. Ce n'est pas un manuel de géographie, mais un livre de révélation fractale. L'*Atlas du XXe siècle*. Fernand Nathan. Paris.

Le trottoir au soleil

— On traverse?
— Pourquoi?
— Pour prendre le trottoir au soleil.

Il faisait bon dans l'ombre, on ne cherche pas la chaleur. Un vrai soir d'été. Les passants se déploient dans la contre-allée, la démarche libre, pas pressés. Avant le dîner, après? Dans la ville, on ne sait jamais. Après toutes les crispations de l'hiver, les réticences du printemps, c'est bon simplement d'étirer le corps en marchant, de sentir des ébauches de translation dans les hanches, de ne plus piquer tout droit vers le but éloigné. Ce soir, c'est là, c'est maintenant que ça se passe.

Le trottoir au soleil, c'est beaucoup dire. Les immeubles d'en face ont déjà pris leur pouvoir bleu. Il reste des clairières, au débouché des petites rues traversières, une terrasse de café éclaboussée, et ce banc, juste au coin. On va s'installer là, jambes tendues, mains croisées sur la nuque. C'est drôle, les voitures ont allumé leurs phares, et le feu rouge se framboise au bout de l'avenue. À l'inverse des matins clairs où les bruits se détachent, la rumeur se fait basse, un coton flou. On regarde le soleil en face, et puis on ferme les paupières aux premières irisations qui se mettent à danser. C'est une éternité qui va fléchir sans mélodrame, et s'endormir, plutôt que disparaître, dans la palpable persistance du bien-être. C'est une sensation encore, ce n'est plus qu'une idée. Le trottoir au soleil.

Le pudding de Le Bras

Le glaçage de sucre et la cerise confite au milieu. C'était ça, d'abord, le petit pudding rond de la pâtisserie Le Bras, sous l'escalier, à Saint-Lazare. Une banquise blanche qui se craquelait. Je n'enlevais pas la cerise. Il fallait l'atteindre pour la mériter, un peu comme les illustrations dans les livres de la Bibliothèque Verte. Sous la pellicule de sucre, on révélait du bout des dents un soubassement souple et brun, moelleux comme une maison chaude isolée dans la plaine en plein hiver.

À l'heure du retour vers la banlieue, ma mère calculait ce temps de dégustation debout, salle des pas perdus. En levant la tête, je mêlais à la saveur des puddings ces paysages monochromes orange cernés de plomb comme un vitrail, où la SNCF avait demandé à l'artiste de symboliser tous les attraits des villes un peu lointaines desservies par la gare : Dieppe, Cherbourg, Le Havre... Nous n'irions pas si loin. Mais, pour le dîner, ma mère se faisait emballer cinq autres puddings dans un paquet pyramidal, noué d'une ficelle brune.

Je ne me suis jamais demandé si un autre gâteau de Le Bras m'eût paru préférable. Le rite donnait au pudding une essence supérieure. Je le trouvais succulent, mais plus succulent encore cet apprivoisement pâtissier de la Ville. Je venais de traverser à pas précipités le rez-de-chaussée du Printemps, noyé dans l'immense rayon parfumé où des divinités très blondes, ondoyant dans des effluves orientaux, avaient stigmatisé par leur silencieuse élégance ma condition de petit plouc. Et voilà qu'avec le nom rassurant de Le Bras, la situation marginale de la pâtisserie, cette complicité sans chiqué d'un plaisir à engranger sous l'escalier, Paris au bord de le quitter s'offrait, familial et facile. Ce goût de glace blanche et de douceur anglaise sombre, qu'à notre guise, quelques heures après, nous pourrions retrouver. Direction Saint-Nom-la-Bretèche, direct jusqu'à Saint-Cloud.

Je continue à m'approcher de Saint-Lazare, faussement indifférent, dans la foule pudique où l'on ne se dit rien. Comme chacun de tous ceux-là, ceux qui dorment encore, ceux qui montent à Bréval et rient très fort, ceux de Mantes-la-Jolie qui se résignent à voyager debout. Comme chacun de tous ceux-là j'ai eu ma vie, au bout du quai.

Enfant, j'habitais à l'école de Louveciennes. Ma sœur m'emmenait quelquefois à Paris le jeudi. Ah! le petit raidillon qui montait à la gare! Avec son salaire d'Ipesienne, elle me payait une crêperie rue Grégoire-de-Tours, ou même un restaurant place du Tertre — quatre cents francs la demi-bouteille d'eau, une folie. L'après-midi le cinéma, *La Conquête de l'Ouest* ou *Alamo*. D'autres jeudis, je prenais le train avec ma mère. Le quai de Louveciennes, une province encore, et puis après Saint-Cloud on apercevait la tour Eiffel. Le rez-de-chaussée du Printemps, toutes ces vendeuses blondes vertigineuses. Le soir, le pudding de Le Bras.

À Saint-Lazare, le 22 janvier 1970, j'ai dit à une étudiante aux yeux gris-vert que je connaissais depuis trois mois à peine : « Je suis à court de fleurs. » Référence à une chanson d'Anne Sylvestre plutôt ironique :

> *Étant un jour à court de fleurs*
> *Tu m'as comme ça offert ton cœur*
> *Dans un papier sulfurisé*
> *Avec une étiquette.*

Je nous savais déjà très compatibles. Depuis la vie a passé, ensemble.

J'ai cherché lentement les mots. J'ai mis beaucoup de je dans des romans, qui me menaient vers autre chose. Un jour est venue l'envie de dire on. Un livre est né, qui n'utilisait que ce pronom, et ce livre a changé ma vie. On. Je vous propose d'être ensemble. Bien sûr, le 22 janvier 70 est à moi, et le pudding rond de Le Bras. Bien sûr je continue de mettre beaucoup de je dans tous ces on. Mais nous sommes embarqués, et beaucoup plus ensemble qu'on ne croit. Comme la flèche de Zénon, nous savons qu'il nous reste au moins la moitié du temps qui reste. L'éternité à vivre ici, dans le brinquebalement du train qui s'alentit. Paris Saint-Lazare deux kilomètres.

Aux Éditions du Rocher

ENREGISTREMENTS PIRATES (Folio n° 4454).

LA CINQUIÈME SAISON (Folio n° 3826).

UN ÉTÉ POUR MÉMOIRE (Folio n° 4132).

LE BONHEUR. TABLEAUX ET BAVARDAGES (Folio n° 4473).

LE BUVEUR DE TEMPS (Folio n° 4073).

LE MIROIR DE MA MÈRE, en collaboration avec Marthe Delerm (Folio n° 4246).

AUTUMN (prix Alain-Fournier 1990), (Folio n° 3166).

LES AMOUREUX DE L'HÔTEL DE VILLE (Folio n° 3976).

MISTER MOUSE OU LA MÉTAPHYSIQUE DU TERRIER (Folio n° 3470).

L'ENVOL.

SUNDBORN OU LES JOURS DE LUMIÈRE (prix des Libraires 1997 et prix national des Bibliothécaires 1997), (Folio n° 3041).

PANIER DE FRUITS.

LE PORTIQUE (Folio n° 3761).

Aux Éditions Milan

C'EST BIEN.

C'EST TOUJOURS BIEN.

Aux Éditions Stock

LES CHEMINS NOUS INVENTENT.

Aux Éditions Champ Vallon

ROUEN (collection « Des villes »).

Aux Éditions Points

MA GRAND-MÈRE AVAIT LES MÊMES : LES DESSOUS
  AFFRIOLANTS DES PETITES PHRASES.

Aux Éditions Librio

L'ENVOL suivi de PANIER DE FRUITS.